DecEZ

D0489680

LE JOAILLIER
D'ISPAHAN

Les illustrations sont extraites du *Journal de voyage à Ispahan* de Jean Chardin
qui a été publié à Londres en 1686 chez Moses Pitt et donné à la Cour
de White-Hall, la même année
et des quatre tomes des *Voyages du Chevalier Chardin en Perse et autres lieux
de L'Orient*, publiés à Amsterdam aux dépens de la Compagnie, MDCCXXXV.
La plupart sont de Guillaume-Joseph Grelot.

Conception graphique : Julien Levy

Danielle Digne

✳

LE JOAILLIER D'ISPAHAN

LE**P**ASSAGE

Je tiens ici à remercier chaleureusement :

Hossein Amirsadeghi, qui m'a donné accès à l'Iran Heritage ;
Gricha Bérékachvili, qui connaît bien la musique des soirées
géorgiennes ;
Monique Lecarpentier, qui a su lire entre les lignes avec son œil vif ;
Issa Nikoukar, mon ami persan ;
Jean Radvanyi, qui m'a éclairée sur la Mingrélie ;
Reza, notre guide en Iran, qui a égayé notre route avec son humour ;
Ruth Saleh, qui m'a introduite dans le cercle des Iraniens de Londres ;
Thérèse de Saint Phalle, qui m'a initiée à la littérature soufie ;
Paul Veyne, qui a validé ma représentation du Chevalier Chardin.
Cet esprit universel a toujours apporté la bonne réponse à mes
interrogations.

Et toute l'équipe des éditions Le Passage avec qui travailler
est un plaisir.

à Teyss
qui m'a accompagnée dans ce voyage

Dignitaire et son équipage sur la route d'Ispahan.

PREMIER VOYAGE

SUR LA ROUTE DES DIAMANTS

Le devisement du monde

D'aussi loin que je me souvienne, les diamants m'ont toujours fasciné. À cela rien d'étrange pour le fils d'un joaillier. Si je partis en acquérir dans le Sud des Indes très jeune, je m'en détachai peu à peu en Perse, attiré par d'autres richesses.

Cette longue histoire commença sur les quais de la Seine, où je naquis le 23 novembre 1643, l'année où Louis XIV devint roi. Mon grand-père, premier de la lignée, avait martelé l'enseigne de saint Éloi de notre bijouterie avec l'argent des mines qu'il possédait en Lorraine. « Ce serait un drame si nous devions la décrocher », disait-il. Aussi levais-je la tête chaque matin pour voir si elle était bien là.

Mon père, Daniel Chardin, était spécialisé dans la haute joaillerie et, à ce titre, autorisé à mettre en œuvre les pierres précieuses. Comme lui, j'accéderai à la maîtrise en déposant mon poinçon avec mes initiales et une fleur de lys couronnée au greffe des Monnaies et au bureau de notre corporation.

Tant que le roi de France laissait leur liberté aux chrétiens de la religion réformée, l'avenir de notre Maison était assuré. Si nous n'avions pas les honneurs de la Cour, nous bénéficiions en revanche de la clientèle de la haute administration protestante.

Les fils de maître étant dispensés d'apprentissage, je fus initié au métier dans l'atelier familial vers l'âge de cinq ou six ans, tout en poursuivant mes classes de grammaire. C'est un avantage pour réussir dans une profession que d'être né de parents qui l'exercent. Les instructions se pratiquent sans peine de sorte qu'il est presque impossible de ne pas briller soi-même.

Il fallait voir avec quel enthousiasme je me haussais sur la pointe de mes escarpins pour admirer les diamants étalés sur le cuir de l'établi. Plus tard, j'appris à les observer à l'œilleton, à les peser sur une balance avec des graines de caroubier dont le poids, constant à 0,20 gramme, servait de mesure étalon du carat. En les saisissant au bout d'une pincette, j'observais les éventuelles inclusions, jugeais de leur taille et de leur pureté.

Aux Indes, on avait coutume de les comparer à la clarté des rivières. Les plus beaux étaient dits de la plus belle eau. Évaluer leur couleur est un art qui ne s'acquiert qu'après de longues années, car les nuances sont infiniment subtiles.

Mon père racontait que le feu des volcans arrachait le diamant à sa longue hibernation dans les entrailles de la terre où il restait enfoui des millions d'années. Le temps exaltait sa luminosité jusqu'à le transformer en « fragment d'éternité ».

Nous aimions à deviser en travaillant.

– Les enfants sont comme des diamants bruts, me dit-il un jour alors que nous buvions du chocolat auquel Mme de Sévigné prêtait de grands bienfaits. Ils n'ont pas encore donné tout leur éclat. À force d'égrisage et de polissage, ils peuvent se transformer en joyau de la plus belle eau.

Il m'encourageait ainsi à me surpasser et à briller dans le plus prestigieux des métiers.

Dans la famille, on ne parlait plus de ma sœur, la petite Anaïs, mon aînée de deux ans. Elle était tombée brutalement malade un soir d'hiver. Les médecins s'étaient relayés à son chevet, l'un conseillant des purgatifs, l'autre des saignées. Elle ne se nourrissait plus, pâlissait et finit par disparaître sans que personne sût ce dont elle souffrait.

Sa mort fit de moi un enfant sensible, solitaire et choyé comme le plus précieux des trésors. Quand ma mère, Jeanne, était triste, je venais me blottir dans ses bras pour la consoler. Je caressais ses boucles brunes, en observant son visage fin jusqu'à ce que ses yeux clairs finissent par me sourire. J'aurais aimé avoir les mêmes, mais les miens étaient noirs. Comme elle disait que j'avais le regard expressif de mon père qui l'avait émue lors de leur première rencontre, je m'en contentais.

Ma mère n'était pas coquette. Elle ne portait qu'un petit diamant de forme aimable d'un blanc très vif, attaché à un ruban, assorti à ses robes en étamine qui tranchaient avec les soies et les taffetas éclatants de nos clientes.

Elle était née à Rouen dans une famille de drapiers qui naviguaient vers l'Espagne ou d'autres pays lointains. Leurs récits me passionnaient. Je m'attachais à leurs aventures comme si je les avais vécues. Quand je rentrais place Dauphine, je suivais les barges qui descendaient la Seine vers la mer et m'invitaient au voyage.

S'inspirant de Montaigne, ma mère disait qu'il n'y a pas d'autres barbares dans le monde que ceux qui sont aveuglés par leurs préjugés. Pour elle, il n'y avait pas plus belle liberté que celle de l'esprit, plus noble tâche que celle de développer son savoir. Quant à la lecture, elle donnait une expérience de la vie pour n'être surpris de rien. D'un côté, je vivais au milieu des joyaux, de l'autre, je rêvais de nouveaux horizons, bénéficiant ainsi d'une double influence, comme un estuaire où l'eau du fleuve se mêle à celle de la mer.

Nous commentions ensemble l'Ancien Testament, mais, en grandissant, j'eus envie d'entendre d'autres histoires que celles de Joseph et ses frères. Elle m'acheta un ouvrage où la silhouette d'un enfant portant un globe terrestre sur le dos était gravée sur la couverture. C'était

Le Devisement du monde de Marco Polo, qui avait voyagé jusqu'en Chine et décrit les merveilles de l'Orient.

Le soir même, nous découvrîmes que le marchand vénitien avait dicté le récit de ses voyages à un certain Rustichello de Pise qui partageait sa prison.

« Vous trouverez dans ce livre toutes les merveilles de la Grande Arménie, de la Perse, des Tatares, de l'Inde et de beaucoup d'autres pays que messire Marco Polo, sage et noble citoyen de Venise, raconte pour l'avoir vu de ses propres yeux. Il y a certaines choses qu'il ne vit pas lui-même, mais qu'il a entendu raconter par des hommes dignes de foi. C'est pourquoi nous indiquerons s'il s'agit de choses qu'il a vues ou bien qu'il a apprises par ouï-dire, afin que notre livre dise la vérité, sans nul mensonge. »

Ma mère se tourna vers moi :

– La Vérité doit être l'idéal de l'honnête homme, même si personne ne sait si Marco Polo l'a respectée.

Comme d'habitude, je désirais prolonger notre rituel, ce moment d'intimité. L'heure tournant, elle s'apprêta à éteindre la chandelle, en décrétant qu'il était l'heure de dormir.

– Non, pas encore, la suppliai-je. Lis-moi le passage où on parle des mines de diamants.

– C'est trop tard maintenant !

– Tes histoires m'enlèvent la peur de la nuit et me donnent de beaux rêves.

Cette petite comédie se jouait chaque soir.

– Tu as toujours ton petit caractère, fit-elle en ouvrant la page que j'avais marquée par un signet.

Si elle prononçait ces mots en souriant, c'était un compliment, mais si le ton était plus cassant, c'était un reproche.

« Au Sud des Indes dans les montagnes proches de la côte de Coromandel, commença-t-elle avec sa belle voix de conteuse, les hommes de la vallée attendaient la fin de la mousson. Et grimpaient alors sous une chaleur suffocante qu'ils pouvaient à peine souffrir pour chercher les trésors dans le sable des ravines. La plus précieuse des pierres était gardée par des serpents venimeux qu'ils étaient peu nombreux à avoir la hardiesse d'affronter, mais les plus valeureux étaient toujours récompensés. »

Impressionné par les légendes, je rêvais de joyaux portés à dos de chameau à travers les déserts, dans des voiliers aux proues sculptées, avant de toucher, on ne sait par quel mystère, aux rivages de France.

Jusqu'au jour où un personnage extravagant âgé d'une cinquantaine d'années descendit d'une voiture richement ornée, sur la place. Un grand manteau doublé de fourrure et un imposant turban le protégeaient de la neige qui tombait dru. Il tenait un coffret en bois précieux dans sa main couverte de bagues et je le pris pour un Roi mage. Venait-il nous apporter de l'or, de l'encens, ou de la myrrhe ?

– Non, des diamants, précisa mon père en s'éloignant de la vitrine où il disposait des bijoux. Il s'habille en Persan pour se donner un genre. Fais-le patienter, dit-il avant de disparaître.

C'était ainsi qu'il traitait Jean-Baptiste Tavernier, le célèbre diamantaire qui revenait de son troisième voyage en Orient! Son agacement me déplut, aussi me mis-je au service du visiteur à son entrée dans la bijouterie. Dès qu'il fut installé dans le fauteuil que je lui avais avancé, il me demanda si je me destinais à devenir joaillier.

– Je le suis déjà, répondis-je en redressant la tête fièrement. J'ai conçu une maquette pour le chef-d'œuvre destiné aux dignitaires de notre corporation.

Il me rappela que les fils des trois cents maîtres de la place de Paris en étaient dispensés.

– J'en ai inventé un, pour le plaisir. Voulez-vous le voir ?

Sans attendre sa réponse, je filai chercher le globe terrestre en papier mâché que j'avais fabriqué en m'inspirant du livre de Marco Polo.

– La Terre n'est pas très ronde, dis-je en la faisant tourner sur elle-même, mais, vous voyez, les mers sont coloriées en bleu, les continents en vert. Plus tard, ils seront en saphir et en émeraude. Et il y aura un vrai diamant sur les mines de Golconde.

– C'est une excellente idée, dit-il avec un sourire amusé.

Nous en restâmes là, car l'un de nos commis vint le chercher. La discussion avec mon père dura longtemps. D'abord vive et ponctuée d'éclats de voix, elle fut suivie d'un long silence, puis Tavernier redescendit tout seul, me disant en guise d'adieu :

– Mon petit Jean, tu iras loin si tu continues à viser aux étoiles.

Fier du compliment, je courus voir les acquisitions de mon père.

– Je n'ai rien acheté pour l'instant, dit-il de fort méchante humeur. Non seulement ce « chicaneur » a vendu ses plus belles pierres au roi, mais il veut revenir sur les termes de notre contrat.

Il se plaignit que Tavernier achète les gemmes au meilleur prix à la sortie de la mine et nous les revende fort cher. Les orfèvres le soupçonnaient aussi de se donner en spectacle avec les danseuses de la Cour de Perse, de partager les beuveries du roi et même de dérober des joyaux sur les idoles des temples aux Indes. Je pris sa défense :

– Ils n'ont pas eu son courage pour se rendre aux mines de diamants.

Il ne releva pas mon effronterie, se contentant de dire :

– Nous devons chercher un autre fournisseur.

N'écoutant que mon cœur, je m'avançai vers lui, les poings sur les hanches :

– Quand je serai grand, c'est moi qui irais à Golconde.

Je venais d'avoir sept ans.

Le cabinet de curiosités

Au temple de Charenton, les fidèles écoutaient le pasteur se lamenter sur les sévices subis par l'un des nôtres à qui des dévots avaient coupé la langue pour des blasphèmes qu'il aurait proférés sur le passage du saint sacrement. Une grande tension était perceptible dans l'assemblée.

Nous étions recueillis lorsque la porte s'ouvrit à grand fracas. Nous nous retournâmes affolés, en redoutant l'intrusion de fanatiques. Ce n'était que Tavernier. Il rentrait de son cinquième voyage et avançait d'un pas majestueux vers son banc, proche de celui de ma famille. À dix-neuf ans, je n'étais plus l'enfant qu'il avait connu. J'étais très grand et portais des cheveux longs bouclés. À la fin du culte, je dus me rappeler à son bon souvenir.

– Te voilà devenu un beau jeune homme, dit-il en m'embrassant.

Je ne pus lui parler, car ses amis vinrent l'entourer. Devant eux, il se vanta d'avoir vendu à Louis XIV l'Hortensia, une gemme rosée à cinq pans exceptionnelle. On disait que Sa Majesté « craquait de diamants ». Le cardinal Mazarin lui avait transmis sa passion en lui léguant les dix-huit « Mazarins », dont le fameux Sancy de cinquante-cinq carats.

Le voyageur m'autorisa à venir lui rendre visite. Je le pris au mot en me présentant peu de jours après, rue du Louvre, dans la cour plantée d'orangers de sa demeure. Si les richesses étaient des récompenses du ciel pour les huguenots, ils n'aimaient pas les afficher. Tavernier, lui, en était fier.

Des valets habillés en Persans me reçurent dans une antichambre lambrissée en bois précieux où ils me rafraîchirent à l'eau de rose. Un miroir en écaille de tortue éclairé par des torchères me permit d'ajuster mon rabat de dentelle. Il me semblait être déjà en Orient.

Le maître de céans m'attendait dans son cabinet de curiosités, un vrai sanctuaire. Il y avait là tous les instruments de la vie de voyage, des rouleaux de cartes et autres portulans, des globes terrestres posés sur des pieds d'ébène, des boussoles et des astrolabes suspendus à des crochets de cuivre. Les fusils appuyés contre le mur semblaient sentir encore la poudre.

Mon hôte me fit installer dans un siège en peau de tigre, un trophée de chasse. Tout de suite, il parla de lui en évoquant les origines de sa vocation.

– Je suis né avec le désir de voyager. Mon père et mon oncle étaient imprimeurs-cartographes. Les savants qu'ils réunissaient autour d'eux me donnèrent très tôt le désir de voir les pays représentés sur leurs cartes, mais, quand je décidai de prendre la route, ma famille et mes amis me traitèrent d'insensé en cherchant à m'éloigner de ces pays qu'ils jugeaient barbares. Ils ne purent me détourner de mes desseins.

En parlant, il déroula une carte des Indes. Sur les plaques de taille-douce, les stylets de son père avaient dessiné les vagues de la mer, le tracé des rivages, les frontières imprécises. Le nom des villes, écrit en belles lettres, conduisait vers Golconde. Il empruntait le chemin des caravanes parce qu'il avait peur de naviguer.

– Nous ne sommes pas des explorateurs courant l'aventure, expliqua-t-il sur un ton grave. Les cartes sont essentielles. Elles doivent représenter le monde réel avec une description claire des territoires, des points d'eau ou des caravansérails. Leur imprécision fait courir de grands risques.

Par l'ordre éxalté & inexprimable dela bouche dela haute Majesté.

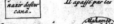

Il a passé sous la plume.

Il est droit.

Il aesté noté.

Il est venua notre vüe.

Il a passé par les regitres.

Il a esté inseré dans les regitres du Palais.

Petits sceaux utilisés pour les requêtes par le Premier ministre,
les ministres et l'écrivain de l'Empire.

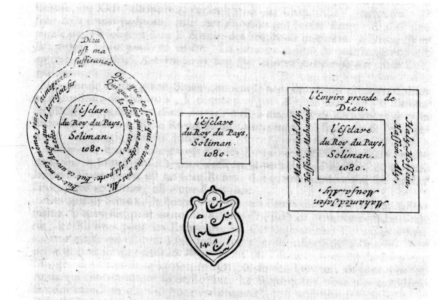

Trois des quatre sceaux du roi. Gravés sur des turquoises épaisses,
les plus grands servent depuis Abbas le Conquérant. On efface le nom
du roi décédé pour mettre celui de son successeur. Le petit carré en rubis
est le plus important car le roi le porte à son cou.

– C'est vrai, j'ai pu m'en apercevoir dans les récits que j'ai lus.

– Je ne me suis rendu aux Indes qu'à mon deuxième voyage, poursuivit-il. Tout de suite, je m'attachai au diamant en devinant le parti que je pouvais en tirer. Pour en acquérir une parfaite connaissance, je visitai les mines des royaumes de Visapour et surtout de Golconde où le premier avait été découvert, une centaine d'années plus tôt, par un paysan qui bêchait son champ pour y planter du millet. Il montra ce caillou d'un éclat inhabituel à un marchand. Celui-ci lui ayant révélé qu'il s'agissait d'une pointe naïve de vingt-cinq carats, la nouvelle se répandit dans les campagnes et tous les paysans se mirent à retourner leurs champs.

Quand j'osai demander à voir ses pierres, il répondit qu'il n'en avait plus. Ma déception l'amena à argumenter. Comment en acheter de nouvelles, s'il les conservait pour lui? Ce n'était pas la possession qui l'intéressait, mais la quête.

– Il ne me reste que des curiosités, comme ces pierres brutes posées dans la coupe devant nous. Celle-ci est dite *ingénue* parce qu'elle a été polie naturellement dans le lit d'un torrent, celle-là *revêche*, parce qu'elle ne s'est pas laissé polir.

Ensuite il m'adressa un sourire de connivence.

– Mes trésors sont là, dit-il en tapotant un vieil album en cuir patiné. J'ai dessiné tous les diamants que j'ai acquis ou estimés, en rapportant leurs caractéristiques à partir desquelles je les ai évalués. Shah Jahan, qui a construit le Taj Mahal à la mémoire de son épouse, a jugé ma méthode si remarquable qu'il m'a invité à estimer tous ses joyaux.

La feuille de papier de soie qu'il souleva fit apparaître l'esquisse d'une pierre, en forme d'œuf, accompagnée de sa description.

– Voilà la plus extraordinaire de celles que j'ai estimées ou achetées. Imagine ma fierté quand Aurangzeb le Grand Moghol m'a appelé en son palais d'Agra. Les eunuques du chef du Trésor m'apportèrent sur un plateau d'or cette merveille à la lumière si vive! Sa transparence était magnifique. Je ne pouvais m'en détacher tant elle m'éblouissait. C'était un diamant parangon de deux cent quatre-vingts carats, d'une grande beauté, et d'un prix extraordinaire!

J'essayais d'imaginer son éclat.

– Deux cent quatre-vingts carats! répétai-je, abasourdi par son poids.

– Dès lors, le grand seigneur de Turquie et le shah de Perse m'ont appelé pour évaluer leurs biens. Ce dernier dépensait des sommes folles pour des curiosités, aussi ai-je conçu pour lui des miroirs grossissants, des boîtes à portraits peintes à l'émail et des montres sonnantes que l'on ne fabriquait pas dans son pays.

Après avoir observé attentivement les joyaux qu'il avait eus entre les mains, Tavernier me raconta qu'en Orient on appelait « marchands » ceux qui parcouraient le monde au risque de leur vie et non ceux qui tenaient une échoppe en ville. Lorsqu'ils commerçaient avec les rois, on les appelait des « marchands de grande considération ».

Ce titre honorifique, inscrit en lettres d'or sur des lettres patentes, marquées du sceau royal, comportait de nombreux privilèges : exemptions de droits, places les plus sûres au milieu de la caravane, escorte au même titre que les dignitaires, les officiers ou les religieux.

En cet instant, je rêvais de prendre sa suite.

Le shah de Perse lui avait accordé son amitié et fait remettre la *calaat*, le vêtement d'honneur qu'il avait porté. Seuls les gouverneurs de province méritants et certains ambassadeurs étaient traités de la sorte. On avait donné à sa gloire des soirées grandioses et inoubliables animées par la troupe des danseuses royales. Grâce à son entregent, ses affaires étaient devenues florissantes. Mon admiration était sans borne. Contrairement à ce que pensait mon père, Tavernier était un homme heureux de transmettre son savoir. « Un passeur du monde », comme on disait en Perse.

L'après-midi s'acheva en buvant de l'arak, un alcool de datte indien très fort, comme s'il s'agissait d'un rite initiatique. Il me brûlait les joues, commençait à m'embrumer l'esprit, mais aussi à me libérer de ma timidité. Je finis par oser lui demander si je pouvais l'accompagner lors d'un prochain voyage. Il me toisa alors comme si j'avais commis un crime de lèse-majesté.

– Toi qui as fait des études, tu connais sans doute la sentence persane : « Chacun de nous doit tracer son propre chemin ! »

Le garde des pierreries du roi

Comme la plupart des jeunes gens fréquentant le temple de Charenton, j'avais le désir d'acquérir des richesses et de recevoir des honneurs prouvant que je bénéficiais de la bienveillance divine. Malgré les persécutions, nous avions du mal à réaliser à l'époque que nous étions perçus comme des ennemis troublant l'harmonie du royaume. Je rêvais toujours de devenir le joaillier de Louis XIV, que j'avais aperçu lors de la fête du Carrousel aux Tuileries. Sa Majesté commandait la brigade des Romains dans un costume fastueux en brocart d'argent, rebrodé de pierres précieuses, la tête surmontée d'un casque avec de hautes plumes noires. La foule l'acclamait, émue par celui qui devenait le Roi-Soleil.

Mon ambition était d'imiter Tavernier et d'obtenir les mêmes avantages à la Cour que lui. Mon père comptait sur moi dans l'atelier et refusait d'entendre parler d'un voyage aux Indes. Je me morfondais, ignorant comment le convaincre. Un événement imprévu vint à mon secours.

La femme d'un riche fermier général avait commandé une parure dont elle avait apprécié le dessin et le choix des pierres. Cette personne élégante partageait nos convictions religieuses discrètement afin de ne pas nuire à la carrière de son époux. Or, elle annula brutalement la commande sans nous en donner les raisons, mettant en péril les finances de notre Maison. À cela s'ajoutait le *numerus clausus* imposé aux maîtres huguenots. Bientôt il n'y en aurait plus chez les orfèvres.

Lors d'une veillée, mon père me confia ses préoccupations :

– Mon fils, nous craignons que tu n'aies pas l'avenir que tu mérites.

Je m'efforçai de rassurer mes parents.

– Ne vous faites pas de soucis pour moi. Si je ne peux exercer les emplois auxquels vous m'avez préparé, je vous ferai honneur en me rendant à Golconde pour acheter des diamants. Fortune faite, je reviendrai m'établir au bord de la Seine.

Les yeux de ma mère brillèrent de larmes, je retenais les miennes. Tous deux redoutaient de me perdre. Les routes étaient dangereuses, les mers infestées de corsaires, les caravanes régulièrement attaquées.

Plus d'une année serait nécessaire pour rejoindre Ispahan. Une telle expédition exigeait beaucoup de temps et d'argent. Il me faudrait payer les gages de mon valet, les transports étaient coûteux et d'éventuels prêts se négociaient à des taux usuriers. Les douaniers ou les gouverneurs de province n'hésitaient pas à imposer des avanies aux infidèles. Sans parler des accidents et des retards qui pouvaient nous ruiner.

Là où mes parents n'envisageaient que des drames, je ne songeais qu'aux mines de diamants, aux audiences dans les palais ou aux conversations avec des lettrés autour d'inestimables manuscrits semblables à ceux que Marco Polo avait admirés en Chine.

D'une voix émue, je soupirai en fin de soirée :

– Nous serions tous très tristes d'avoir à décrocher la belle enseigne de mon grand-père.

Ils m'aimaient trop pour me vouer à un destin médiocre, et, après avoir longuement hésité, ils finirent par se résigner à mon départ.

– Si le négoce des diamants te permet d'avoir de l'avenir, soupira ma mère, nous sommes prêts à nous séparer de toi, quitte à en souffrir.

Une fois leur consentement obtenu, je suivis les conseils de Tavernier en recherchant les meilleures cartes. Pour augmenter mon fonds, j'avais également l'intention de mettre en œuvre des bijoux à vendre dans les Cours où je réussirais à m'introduire. Ceux-ci ne suffisant pas à financer mon voyage, j'envisageais également de monter une association d'orfèvres.

– Cela ne sera pas facile, réagit mon père, mais je vais en parler à Raymond Lescot. Il t'aime bien et sera heureux de te venir en aide, s'il en a les moyens.

Ce garde des pierreries du roi, catholique, avait conçu pour Louis XIV la fameuse plaque du Saint-Esprit, qui avait fait l'admiration et la jalousie de toute la corporation. Il m'avait accueilli dans son atelier et nous nous étions bien entendus. Son soutien me rendait optimiste. La curiosité de découvrir du pays et de nouvelles mentalités m'excitait au plus haut point.

Lors de leur rencontre, maître Lescot promit à mon père de parler à ses confrères. Les semaines passèrent sans la moindre nouvelle. Comme il tardait à répondre à nos sollicitations, je le visitai aux Galeries du Louvre où étaient logés les orfèvres de la Couronne.

D'ordinaire, j'entrais sur la pointe des pieds dans la bijouterie aux tentures sang et or afin de ne pas troubler son ordre feutré, mais ce matin-là, je frappai à l'huis un coup si brutal qu'Antoinette Lescot sursauta.

– Alors, dit-elle en m'ouvrant la porte, il paraît que tu veux nous quitter ?

– Me rendre aux Indes, ce n'est pas vous quitter, c'est penser à vous pendant des mois et vous rapporter de beaux diamants !

Quand elle m'embrassa, ses boucles sautillèrent sur sa nuque, et sa robe violette souleva les fanfreluches qui servaient d'écrin à ses parures. Contrairement à ma mère, elle arborait les bijoux les plus extravagants et avait la gaîté d'une jeune fille. Pleine de fantaisie et entreprenante, elle avait fourni de nombreux objets précieux au cardinal Mazarin pour ses collections.

– Si tu veux voir Lescot, tu sais où le trouver, fit-elle en m'envoyant un baiser.

Je filai vers l'atelier où émailleurs, sertisseurs et horlogers s'affairaient en silence. Accoutumé à l'élégance de la Cour, le Maître travaillait en chemise blanche avec des poignets de dentelles d'où sortaient ses mains fines et soignées. Même en plein été, il gardait une perruque de grosses boucles comme s'il attendait une visite royale. Il montrait à ses apprentis comment sertir une perle baroque sur une broche en saphir. Une fois son travail achevé, il se tourna vers moi.

– Je vais être franc avec toi, fit-il d'un air désolé. Les orfèvres sont réticents à te financer. Nous te pensons trop jeune pour t'engager dans un si dangereux et coûteux voyage.

Je blêmis en pensant qu'il n'était pas homme à plaisanter.

– Ils connaissent mes bonnes relations avec ton père, reprit-il. Sans doute n'ont-ils pas osé me dire qu'ils craignaient de déplaire au roi en s'associant à un huguenot.

– Monsieur Tavernier bénéficie bien des faveurs royales !

– Ses talents sont reconnus alors que tu n'as pas encore fait la preuve des tiens !

– Comment le pourrais-je si personne ne me fait confiance ?

Devant mon air triste, il se radoucit.

– Écoute… Antoinette et moi pensons que tu possèdes toutes les qualités pour devenir diamantaire, mais plus tard. Tu n'as pas encore vingt ans, ce serait imprudent de courir les routes, seul avec un valet de ton âge.

– Voulez-vous m'imposer un chaperon ?

– Ce serait plus sage. Antoine Raisin, l'un de nos amis, pourrait partir avec toi. C'est un orfèvre de Lyon, catholique, âgé d'une quarantaine d'années. Il a connu un grand malheur en perdant sa femme et son fils dans une crue du Rhône. Il n'est jamais allé aux Indes, mais il connaît les diamants aussi bien que Tavernier et t'évitera d'être trompé par les artisans indiens, habiles à dissimuler leurs défauts. Si vous acquérez des diamants d'exception, tu auras notre soutien pour un autre voyage, cette fois en solitaire.

Moi qui désirais voyager avec le grand Tavernier, voilà que l'on m'imposait un bonnet de nuit, un vieux monsieur triste et ennuyeux qui allait me gâcher le plaisir. J'étais partagé entre l'envie de refuser son offre et celle de partir à tout prix. En voyant Antoinette nous rejoindre, je crus m'en faire une alliée, mais elle défendit le point de vue de son époux.

– Mon petit Jean, notre ami pourrait être un bon compagnon de voyage pour toi. Il connaît le pouvoir des pierres précieuses et s'en sert pour prédire l'avenir ou se soigner.

– Vous savez bien que je déteste la superstition ! Souvenez-vous, nous avons jugé ridicule l'histoire d'un diamant censé protéger l'harmonie d'un royaume aux Indes et qui, une fois volé, le fit sombrer dans le chaos !

– Sois raisonnable. Antoine Raisin rassure les orfèvres, c'est cela qui est important. Tu as assez de caractère pour prendre les affaires en main, dès que cela sera possible.

Lescot souhaitait retourner vers son établi et sortit alors de son silence.

– Réfléchis bien à notre proposition. Ou tu l'acceptes ou tu financeras ton expédition avec tes propres écus.

Les débuts du voyage

Étant enfin parvenu à monter mon expédition, je partis avec Antoine Raisin en faisant bon cœur contre mauvaise fortune. Il s'était associé à mon entreprise avec les Lescot et deux autres orfèvres et je lui en étais reconnaissant.

Cet homme aimable était marqué par ses deuils. Tout était gris chez lui, ses yeux, son visage et la grosse perruque qui lui tombait sur le nez. À cela s'ajoutait un costume noir qui ne l'égayait guère. À vingt et un ans, j'aurais aimé avoir un compagnon de mon âge assez fort pour se battre si notre caravane était attaquée, assez gai pour me distraire, assez érudit pour partager des idées. Nos échanges se résumaient aux nécessités du voyage.

À Florence, lorsqu'il voulut vendre à Ferdinand II, grand-duc de Toscane, collectionneur d'objets précieux, les montres sonnantes peintes à l'émail que je réservais au shah de Perse, je m'y opposai en disant que ce dernier ferait de nous des « marchands de grande considération » avec tous les avantages que cela comportait. Antoine refusa par esprit de contradiction. Notre discussion fut vive, mais j'argumentai jusqu'à ce qu'il renonce. C'est ainsi que le grand-duc acheta les boîtes en or avec les madones que nous ne pouvions présenter à un prince mahométan.

Nous nous rendîmes à Livourne pour nous embarquer sur un vaisseau qui faisait partie d'un convoi hollandais et il avait l'avantage d'être protégé des corsaires par deux navires de guerre.

Dans le port, la mer était étincelante de lumière et un léger vent du nord soufflait dans les cordages de ce bâtiment marchand au faible tirant d'eau dont la coque arrondie promettait roulis et tangage. Il transportait cent trente hommes d'équipage, une cinquantaine de passagers et près de trois millions de livres de marchandises sans compter ce que les marchands ne déclaraient pas. Des vaches, des cochons et de la volaille partageaient l'entrepont avec les marins.

Quand nous montâmes sur la passerelle grinçante en suivant les portefaix qui hissaient à bord nos coffres et les jambons achetés par Antoine, nous vécûmes un moment difficile. Nous avions peur. Sans oser nous l'avouer, nous tremblions à l'idée de confier notre vie et nos biens à un bateau qui pouvait s'échouer, se briser sur les récifs et même brûler.

Autrefois, je lisais avec passion les récits de navigation, mais une fois sur le bateau, mon esprit fut hanté par le souvenir du Portugais Mendes Pinto qui avait été pris en esclavage à plusieurs reprises.

Au cours des deux premiers mois, nous connûmes des orages et un coup de vent inopiné qui jeta un homme à la mer. Ensuite, nous eûmes à subir une attaque dans les Cyclades. Un matin, à l'aube, un cri strident nous réveilla. La vigie avait aperçu dans sa lunette le pavillon du chevalier de Téméricourt, l'un des plus redoutables corsaires chrétiens qui faisait régner la terreur en mer comme sur les côtes. Affolé, j'enfilai un caleçon et la veste de mon pourpoint où mon valet avait dissimulé nos bijoux les plus fins, prêt à mourir avec eux.

Antoine ronflait encore dans la loge à côté. Je le secouai. Il ouvrit les yeux en grognant :

– Ce n'est rien de grave, nous ne risquons rien !

– Tu as perdu la tête! Les corsaires sont sans foi ni loi!

– Mes pierres précieuses nous protégeront.

Je montai sur le pont où les marchands observaient, l'air égaré, le corsaire nous prendre en chasse. Il mit ses arcs-boutants à la grand-voile et à la seconde voile. Les deux vaisseaux de guerre vinrent nous protéger. L'un des amiraux tenta de parler dans son porte-voix au corsaire qui se rapprochait. Ce forban de haute taille au visage anguleux nous menaçait de son sabre. Ses hommes hurlaient des chants guerriers. Mon cœur battit à tout rompre. Antoine vint me rejoindre. Sa sérénité me parut ridicule et m'agaça. Par bonheur, le vent tomba peu après. Le vaisseau ennemi, plus lourd que le nôtre, ne put avancer. L'amiral hurla dans son porte-voix en demandant au chevalier s'il ne craignait pas l'enfer pour ses crimes.

– Je suis luthérien et ne crois rien à tout cela, répondit-il dans un grand rire sarcastique.

En revanche, il croyait à la puissance des canons, car, au premier coup, il baissa la garde et prit le large. Sans notre escorte, nous serions aujourd'hui enchaînés à une galère ou esclaves dans un palais du Caire.

Antoine m'expliqua les causes de son sang-froid. La veille, lors d'une séance de divination, il n'avait rien vu d'inquiétant dans son talisman, une pierre de douze carats qu'il disait réactive aux énergies cosmiques. Il devait sa formation à deux ouvrages, *Le Diamant sacré* et *L'Art de se guérir par les pierres précieuses*.

– Ne t'inquiète pas, dit-il, je t'en ferai bénéficier. Les turquoises devraient nous éviter les chutes de cheval, les émeraudes nous protéger contre les venins, les perles des attaques de scorpion.

Je haussai les épaules sans envenimer la conversation et insistai en disant qu'il était dangereux de prêter des vertus à des minéraux et que de nombreux voyageurs étaient morts de ne pas avoir profité des médecines orientales. Il ferait mieux d'étudier les traités d'Avicenne, le plus grand savant de tous les temps. Ma conclusion fut ferme :

– Raymond Lescot compte sur toi pour m'aider à acquérir des diamants, mais pas pour diriger notre voyage selon les prévisions des almanachs et le mouvement des constellations.

Le temps se mit au beau en Grèce et la suite de notre navigation se déroula heureusement sans incident. La chemise ouverte, je lisais sur le pont ou conversais avec des Levantins qui m'initiaient au turc, la langue utilisée à la Cour de Perse. Je comptais m'en servir pour amadouer le grand douanier de Constantinople, un rustre qui maltraitait les infidèles et confisquait leurs biens à la moindre résistance.

Des marchands de la Compagnie royale des Indes orientales qui trafiquaient aux Échelles du Levant nous avaient rejoints à l'escale de Smyrne. Ils me confirmèrent qu'il n'y avait toujours pas d'ambassadeur à la Maison de France depuis que Louis XIV avait rappelé Denys de La Haye dont les maladresses avaient suscité des incidents diplomatiques.

Nos relations avec les Ottomans avaient toujours été compliquées à cause des antipathies qu'il y avait entre nous. Persuadé qu'on ne pouvait s'entendre avec des gens qui appelaient leurs alliés des « obéissants », l'orgueilleux Louis XIV soutenait les Vénitiens qui les combattaient à Candie.

Pour se venger de ses trahisons, le grand vizir Küpperlü tardait à renouveler les Capitulations, conventions politiques et commerciales signées avec François Ier, refusant d'en changer certaines clauses, comme celle de baisser nos droits de douane au niveau de ceux des Anglais et des Hollandais. Il s'ensuivait toutes sortes de tracasseries comme celle de refuser les importations de vin français et, plus grave, de ne plus accorder de passeports.

En Turquie, comme dans d'autres régimes despotiques, un étranger était au service du souverain qui l'accueillait. Il ne pouvait quitter le pays sans son accord, sans lettres de recommandation officielles. Sinon, il courait le risque d'être maltraité, objet de moqueries agressives, voire dépouillé de ses biens. D'ordinaire, l'ambassadeur se chargeait de ces formalités avec le grand vizir. En son absence, le résident traitait des affaires courantes, mais il n'avait aucune autorité sur les Turcs et passait ses journées à fumer le narghilé dans les tavernes de Galata.

Lors d'une conversation entre marchands, l'un d'eux eut un geste fataliste.

– Vous devez attendre que les choses s'arrangent d'elles-mêmes.

Perplexe, je méditais, le regard tourné vers l'horizon. Si nous manquions la caravane de septembre, nous devrions attendre celle de mars et arriverions en Perse au moment où Shah Abbas II passait l'été dans le Mazandaran. Les négociations étaient parfois longues dans ce pays, avec des drames, des comédies et de nombreux rebondissements.

Si le roi rentrait trop tard à Ispahan, nous n'aurions pas le temps de lui présenter nos bijoux avant de rejoindre le golfe d'Ormuz, car la mer d'Arabie n'était navigable que de novembre à mars. Nous perdrions une année et beaucoup d'argent. La quête des diamants pourrait prendre fin sur les rives du Bosphore pour une simple question de sauf-conduits.

Le piège de Constantinople

L'excitation me fit lever à l'aube pour assister à l'entrée dans le canal du Bosphore. Seul à la proue du navire, je lançai mon feutre en l'air en poussant un cri de joie. Après trois mois de navigation, enfin la terre ferme ! Que d'émotion je ressentis à entendre les salves de nos navires de guerre saluer le palais du Grand Seigneur, dissimulé derrière une haute rangée de cyprès.

Toutes les richesses du monde transitaient par Constantinople, qui avait le privilège d'être au confluent de l'Europe et de l'Asie. Les soieries de Chine et les épices des Indes venaient par la mer Noire. Par la mer de Marmara arrivaient les marchandises de l'Égypte, le café du Yémen, les miroirs de Venise ou l'or d'Abyssinie.

L'opulence s'affichait jusqu'aux mosquées qui dominaient la ville de leur splendeur. On disait que, les nuits de ramadan, des lampes colorées, suspendues à des cordes, dessinaient des signes à la gloire de Dieu, de minaret en minaret.

Notre vaisseau longea les quais de Stamboul emporté par le courant qui monte vers la mer Noire. Il mouilla aux échelles de Galata. Ces jetées construites en bois ou en pierre sur pilotis permettaient aux bateaux d'aborder et aux passagers de débarquer.

À terre, nous fûmes pris dans un tourbillon d'agitation. Des portefaix se disputèrent pour décharger nos coffres. Les marchands dont l'origine se devinait à la couleur des chaussures – le jaune étant réservé aux musulmans – venaient aux nouvelles. Des charrettes trop remplies versaient, tandis que des Génois, pris de vin, se battaient au sortir des tavernes.

L'inspection à la Maison de la douane se déroula sans incident. Heureusement, car une partie des bijoux étaient cachés dans de fausses reliures au milieu de mes livres. Finalement, les Turcs n'étaient pas aussi terribles que je le craignais.

Les Européens étaient regroupés sur les collines de Péra. Seul l'ambassadeur avait le droit de se déplacer en chaise à porteurs. À l'heure la plus chaude, nous fûmes obligés de gravir à pied la côte en suivant la charrette de notre bagage vers le khan des missionnaires carmes. Des enfants nous jetèrent des trognons de chou et nous traitèrent de singes sans queue en se moquant de nos vestes courtes et de nos perruques.

– Je comprends pourquoi on nous a conseillé de nous habiller à la turque, soupira Antoine en s'épongeant le front.

François-Xavier, le père supérieur, nous reçut avec beaucoup d'humanité. Il nous souhaita la bienvenue en nous servant du café, une boisson réconfortante à laquelle nous n'avions jamais goûté. Il essaya de nous rassurer au sujet de nos passeports. Au moindre litige avec la Porte, on entendait dire que le grand vizir allait refuser ces documents aux Français. Heureusement, cette menace ne se réalisait pas toujours.

– Le résident est actuellement en déplacement à Andrinople, conclut-il, profitez-en pour vous mettre à la mode du pays !

Si nous respections les usages, personne ne nous prendrait pour des espions. Les chrétiens étaient bien accueillis, s'ils ne parlaient pas de politique, de religion ou des femmes. Récemment, un mari qui avait tué l'amant de sa femme n'avait pas été inquiété. Nous devions aussi respecter l'indolence des Orientaux qui n'était pas seulement due au climat, mais tenait à la dignité et à cette béatitude dont leur Livre sacré ne cessait de les entretenir.

L'épuisement nous fit coucher de bonne heure. Les Turcs n'ont pas de lits comme les nôtres. Ils jettent un matelas sur une estrade, le couvrent d'un drap de soie et de couvertures d'indienne. Dans la journée, ces matelas sont rangés dans une armoire. Pendant le voyage, ils nous donneraient le sentiment d'être partout chez nous.

Le lendemain, sous le soleil brûlant de juillet, nous traversâmes la Corne d'Or en caïque, barque étroite et légère, rapide comme un poisson volant, à la rencontre du tailleur Ahmed que les carmes nous avaient recommandé.

Le grand bazar de Stamboul, un labyrinthe de galeries et d'échoppes éclairées par des coupoles de verre, était fréquenté essentiellement par des hommes portant la barbe noire du Prophète. Des voiles et des écharpes pailletées fleurissaient sur les étals, mais les femmes étaient rares. Elles passaient comme des ombres, enveloppées de cotonnades qui empêchaient de distinguer la belle du laideron.

Chaque artisan avait sa rue. Celle des parfumeurs offrait toutes sortes de baumes et de flacons dans des étuis de velours. Un vendeur vantait ses parfums en prétendant qu'ils permettaient de recueillir le consentement des plus récalcitrantes !

Nous arrivâmes sans encombre à l'échoppe du tailleur. Après nous avoir salué la main sur le cœur, il nous drapa des tissus sur la poitrine pour juger des couleurs, y allant de son commentaire, n'écoutant pas les nôtres et décidant des assortiments. Ici, on ne recherchait pas l'harmonie, on rivalisait avec l'arc-en-ciel en mêlant les teintes de la pastèque, du citron ou de la bougainvillée. Il fallait être bariolé afin de passer inaperçu.

Lorsque le barbier me rasa le crâne pour ajuster le turban, je vis à regret mes belles boucles tomber sur le sol. Ma veste aux manches amples et mon pantalon à gros plis me firent ressembler aux pachas dessinés sur les boîtes de loukoums. Resplendissant dans une chemise à fleurs, Antoine était plus gai. Nous voilà devenus ottomans, du moins en apparence.

Dès le retour du résident, je confiai à Antoine la liste du matériel établie par les carmes pour se déplacer en caravane et me rendis à la Maison de France qui était proche de la mission. Cette belle bâtisse en bois et en pisé était entourée de terrasses plantées de vignes. Elle avait une vue magnifique sur le Bosphore. À l'intérieur, c'était une demeure sans âme, décorée de vieilles gravures poussiéreuses.

Ma visite impromptue sema l'émoi. Le résident refusa de me recevoir sous prétexte que je ne m'étais pas fait annoncer. Hors de moi, j'insistai auprès des gardes en montrant mes lettres de recommandation. De guerre lasse, ils finirent par m'introduire dans son bureau.

C'est Louis XIV qui m'accueillit. Dans la pièce, on ne voyait que son portrait en pied. Revêtu d'un manteau d'hermine, il semblait me toiser d'un regard hautain. À ses pieds, le résident, un homme de petite mine, la plume à la main, écrivait sur un bureau trop imposant pour lui.

Quand celui-ci leva enfin la tête, je me présentai en évoquant les raisons de ma visite et mon désir d'obtenir nos sauf-conduits pour prendre la caravane de septembre. Il m'écouta d'une oreille distraite pendant que j'étalai les lettres sous ses yeux. Elles portaient les cachets du prévôt des marchands de Paris, des orfèvres de la Couronne et même celui de l'ambassadeur d'Angleterre en France. Impressionné par leur nombre et leur qualité, il esquissa un sourire, promit d'agir auprès du grand vizir Küpperlü afin que nous ayons nos documents à temps.

Une nouvelle audience me sera accordée le moment venu.

Après quelques jours de silence, je retournai à l'hôtel des ambassadeurs. Ce matin-là, je surpris mon homme en discussion avec un marchand dans l'antichambre. Ne pouvant m'échapper, il m'avoua n'avoir pu voir le grand vizir, mais seulement son drogman, l'interprète, le fameux Grec Panyotti, promu aux basses œuvres. D'après lui, son maître ne voulait rien engager avant l'arrivée du marquis de Nointel, le nouvel ambassadeur dont l'entrée à Constantinople était prévue pour la fin du mois de novembre.

– Vous vous moquez, dis-je sans cacher ma colère. À cette date, la caravane de Tabriz sera partie depuis longtemps !

Le résident disparut dans le couloir en marmonnant :

– On attend toujours en Orient. La chaleur ralentit les esprits et les volontés. Laissez le sablier s'écouler si vous ne voulez pas avoir d'ennuis.

Sous le regard moqueur des gardes, je m'éloignai en maudissant la diplomatie de Louis XIV et celle de ses représentants. Il n'était pas étonnant que la Compagnie royale des Indes, créée par Colbert, ait tant de mal à concurrencer les Compagnies anglaise ou hollandaise, mieux organisées et plus respectueuses de leurs compatriotes.

J'empruntai une ruelle où se battaient des chiens errants. Elle me conduisit sur une petite place face à la tour de Galata, qui sert de gué pour les incendies. Installé sur un banc, j'eus l'impression d'être comme ce fou qui avait voulu traverser le canal avec des ailes de sa fabrication et s'était écrasé en contrebas. Le Bosphore me semblait maintenant infranchissable, une barrière entre deux mondes.

Je ne devais pas reculer au premier obstacle. Les orfèvres avaient misé sur moi, mes parents s'étaient sacrifiés pour m'assurer un avenir. Il me fallait leur prouver que je pouvais remplacer Tavernier.

Perdu dans mes pensées, je ne remarquai pas l'attroupement qui était apparu autour d'un homme étrange, coiffé d'un bonnet de feutre, qui tournait sur lui-même, les bras ouverts, la main droite tournée vers le ciel.

– C'est un derviche tourneur, un mystique, me dit le passant que j'interrogeai.

– Que fait-il ?

– Il entraîne les hommes à se détacher des biens terrestres et à s'élever spirituellement. Et c'est long, comme vous pouvez l'imaginer !

Quand il passa son chemin, je me laissai bercer par les mouvements du derviche, qui finirent par m'apaiser. Au loin, les collines de

Scutari s'allumaient des derniers feux du couchant. Le fanal de la tour de Léandre s'éclaira. Je me remémorai le courage des marchands qui transportaient inlassablement des marchandises, de Constantinople à Samarkand, aux Indes et jusqu'en Chine. Aux points d'eau, ils vendaient du verre et la manière de le souffler, de la soie et la façon de la filer, des instruments de musique et l'art d'en jouer. Ils diffusaient les découvertes des savants. La route de la Soie était aussi celle des savoirs. Les récits de mon enfance m'encourageaient à me surpasser. À ne jamais renoncer. À trouver une astuce pour traverser le Bosphore sans les passeports de la Maison de France.

La caravane de Tabriz

À la pointe du jour, il n'y avait pas âme qui vive lorsque nous arrivâmes en caïque sur la rive asiatique. Les rameurs s'empressèrent de décharger nos coffres pour repartir aussi vite. Nos capuchons relevés pour ne pas être repérés, nous attendîmes le conducteur qui devait nous amener des chevaux.

À la suite de mon échec à la Maison de France, j'étais entré en relation avec l'ambassadeur de la nation anglaise grâce à mes lettres de recommandation. Désireux d'aider un frère huguenot, il m'avait remis des passeports de son pays après bien des hésitations. Si les Turcs apprenaient que nous nous déplacions sous une fausse identité, ils nous poursuivraient jusqu'aux frontières du royaume.

Notre conducteur était en retard parce que des janissaires l'avaient retenu et longuement interrogé à Galata, mais, en échange d'une pièce d'argent, il avait réussi à s'en libérer.

Il nous conduisit dans les faubourgs de Scutari où la caravane se rassemblait. C'était l'heure de la sieste. Les chameaux cherchaient de l'ombre sous les oliviers, les mules chassaient les mouches. La plupart des nomades s'étaient enfermés sous la tente par crainte du sirocco.

Haroun Aly, un marchand de soie de Tabriz, avait été élu caravanier par ses pairs. Ce Persan chiite, adepte de la secte d'Ali, était un personnage puissant et haut en couleur. Il assurait la sécurité de ceux que l'on appelait *revenants* et *retournants* par bon augure, déjouait les pièges du terrain, choisissait les haltes où il y avait de l'eau et de l'herbage pour les bêtes, réglait les conflits. On pouvait lui accorder notre confiance. Sur la route de Tabriz, il était seul maître après Dieu.

L'un de ses gardes le réveilla pour le prévenir de l'arrivée de riches marchands de l'Eastern Company of India. L'éventualité d'une affaire le fit sortir devant sa tente. Là, il finit d'attacher son pantalon flottant et sa ceinture où étaient accrochés les outils nécessaires à la réparation des bâts et des licous qui pouvaient se transformer en armes si besoin était. Enfin, il ajusta sur sa tête la calotte enturbannée d'un foulard rouge, insigne de ses fonctions et de son autorité.

Nous l'attendions sous l'olivier où il passait les contrats avec ses voyageurs. C'était une épreuve pour des passagers clandestins que d'avoir à discuter des prix sans dévoiler leur identité. Le caravanier nous jaugea du regard en frisant les grosses moustaches qui lui donnaient un air farouche. On aurait dit qu'il nous soupçonnait de quelque chose.

Lorsque son interprète nous interrogea, nous déclinâmes nos noms anglais, notre destination et la nature de nos biens qu'il inscrivait sur ses registres de comptes. Les places les plus sûres et les mieux abritées des vents de sable nous furent fermement refusées.

– Messieurs les Anglais, annonça Haroun Aly dans un haussement de posture, vous n'avez aucune prétention à avoir. N'étant ni religieux, ni officiers, ni marchands du roi, vous prendrez celles qu'on vous offre.

Il était si impressionnant que nous ne perdîmes pas de temps à négocier notre contrat. Il imposa ses conditions et repartit vers sa tente, laissant à l'interprète le soin de nous annoncer un changement. Le départ était retardé à cause d'un cauchemar du caravanier. Il avait entrevu le massacre de sa caravane et pensait que son rêve était prémonitoire, les routes de

Turquie étant moins bien surveillées que celles de Perse, où Shah Abbas le Conquérant avait créé une police des plus sévères.

Cette décision n'avait pas été prise à la légère, mais après l'observation des constellations et du *taïcum,* l'almanach que les Persans consultaient dans les affaires graves ou futiles.

Les janissaires qui tournaient à cheval entre les tentes nous rendaient fébriles. Je me crus assez fort pour essayer de convaincre le caravanier de partir le jour prévu.

Quand l'interprète se plaignit en mon nom d'un retard préjudiciable au commerce, Haroun Aly me fusilla du regard et me remit à ma place de façon cinglante.

– Nous parviendrons à destination quand le sort en décidera! La patience est le Quatre-vingt-dix-neuvième nom de Dieu! Puisque tu es orfèvre, sache que ceux qui retiennent ces noms entreront au Paradis où les diamants se cueillent comme des fleurs.

Ce Persan incarnait la grande tradition des marchands de la route de la Soie. Il me fascinait par sa détermination et par la force de son commandement, mais ce malin pourrait nous dénoncer aux autorités turques.

Le matin du départ, le coup de timbale qui résonna dans la campagne me donna un frisson d'émotion. Le vrai voyage commençait enfin. Les mules déclenchèrent un grand tintamarre de sonnailles et le convoi se déplia lentement dans les herbes de l'été.

La caravane était de six cents chameaux et autant de chevaux. Nous avions préféré ces derniers, plus confortables. Notre bagage tenait à peine sur sept mules, car tentes et matelas, coffres et ustensiles de cuisine étaient très encombrants. Les pauvres, eux, allaient à pied en profitant de temps à autre d'une monture.

D'ordinaire, nous nous mettions en route vers minuit pour éviter la chaleur et accomplissions une trentaine de kilomètres en six à dix heures. Le matin, le caravanier choisissait où s'installer, les muletiers pansaient les chevaux, nos valets avaient le temps de monter nos tentes et d'acheter de la nourriture.

Quand on se déplaçait de jour, j'observais le paysage, lisais en posant un livre sur ma selle ou visitais des ruines antiques avec une escorte, si j'en avais l'autorisation. J'espérais amadouer Haroun Aly et m'en faire un ami, mais il me fuyait comme s'il m'avait classé parmi les importuns.

Aux étapes, les vieux marchands essayaient de nous impressionner en racontant l'attaque de la grande caravane de Kandahar. On ignorait si elle avait eu lieu la veille, il y a dix ans ou jamais. Les sommes dérobées et les commanditaires du crime changeaient avec les humeurs. Les pillards étaient-ils des brigands descendus des montagnes ou les hommes du gouverneur, agissant sur ordre ? Le mystère demeurait entier.

Nous dormions sous la tente en redoutant que des « voleurs des ténèbres » ne s'y introduisent la nuit pour vider nos ballots sans nous réveiller. En cas d'attaque, les *chiaoux,* quatre ou six malheureuses sentinelles, s'enfuyaient souvent au premier coup de feu. Je dormais avec mes armes et nos bijoux, Antoine avec ses pierres précieuses censées le protéger mieux qu'un fusil dont il ne savait pas se servir.

Jusque-là, nos relations avaient été assez bonnes. Antoine menait sa vie, je menais la mienne, mais une violente dispute éclata entre nous à l'entrée du village de Saçabangi. Malgré notre vigilance, mon associé s'aperçut de la disparition de l'un de nos muletiers avec la bête qui transportait le *yaïtan* des montres sonnantes destinées au shah de Perse. Le ton monta. Chacun rendit l'autre responsable du vol. Il me reprocha d'avoir passé la journée à lire, moi d'avoir oublié de surveiller nos coffres comme il s'y était engagé. Nous évitâmes de peu les invectives.

Peu à peu, le calme revint. Pour essayer de rattraper le fuyard, il n'y avait pas d'autre moyen que d'en parler au caravanier. L'interprète

TABLE

Pour connoitre les Elections des Aspects de la Lune avec les autres Planetes.

	Regard avec le Soleil.		*Regard avec la Lune.*
☍	La plupart des affaires ont mauvais succès.	☍	Il est bon de bâtir des maisons & de dresser des jardins.
△	La plupart des affaires ont bon succès & principalement faire sa cour au Roi.	△	Il est bon de visiter les personnes dévotes & religieuses.
□	Il faut s'abstenir de toutes affaires.	□	La plupart des affaires ont mauvais succès.
✶	Il est bon de se présenter devant le Roi & devant les Grands.	✶	Il est bon de planter & de semer.
♂	Toutes les affaires ont mauvais succès.	♂	Les affaires sont mauvaises.

	Regard avec Jupiter.		*Regard avec Mars.*
☍	Il est bon de visiter les gens doctes, les gens d'Eglise & les gens pieux.	☍	Il est bon de ramasser du bien, de l'enfouïr & d'en faire trésor.
△	Il est bon de consulter les Docteurs de la Loi.	△	Il est bon de se faire saigner & ventouser.
□	Il est bon de s'habiller de neuf & de passer des contracts de mariage.	□	Toutes les affaires sont mauvaises.
✶	Toutes les affaires sont mauvaises.	✶	Il est bon d'aller à la chasse, de monter à cheval & de visiter les gens de guerre.
♂	Les affaires sont mauvaises.	♂	Toutes sortes d'affaires ont de méchans succès.

	Regard avec Vénus.		*Regard avec Mercure.*
☍	Il est bon de s'approcher d'une Fille vierge, & d'être seul avec les Femmes.	☍	Il est bon de traiter d'affaires & de conferer de Sciences.
△	Il est bon de s'approcher des Femmes & de les rechercher.	△	Il est bon de s'employer à des comptes & des calculs.
□	Il est bon de préparer des parfums, de se parfumer, & de recevoir la premiere faveur d'une Fille.	□	La plupart des affaires sont mauvaises.
✶	Il est bon de contracter mariage & de le consommer.	✶	Il est bon de visiter les gens doctes & de commencer les entreprises importantes.
♂	Toutes les affaires sont aisées & heureuses.	♂	Toutes les affaires sont difficiles & malheureuses.

TOME III.　　　　　Z　　　　　T A-

Almanach persan, publié à Norouz à la nouvelle année en mars.

C'est un composé d'astronomie et d'astrologie.

m'accompagna lui exprimer mes soupçons. Après avoir entendu le récit de l'incident, Haroun Aly me pointa du doigt.

– Si les muletiers étaient des voleurs, il n'y aurait plus de commerce possible ! On leur a confié les plus précieuses marchandises depuis la nuit des temps. Tu devrais l'avoir appris dans tes livres !

Son ton sec calma mon arrogance. Je m'excusai d'avoir méconnu les usages. Il se radoucit alors.

– Le garçon a dû s'égarer dans le bois à l'entrée du village avec le bourrelier et la partie du convoi qui s'est trompée de route. Mes hommes sont partis à leur recherche. Ils devraient être de retour avant la nuit.

Les choses s'arrangeant, je lui proposai de boire un café en ma compagnie. Il accepta en enlevant sa ceinture pour s'asseoir dans l'herbe, avec l'interprète. Il huma avec plaisir l'odeur qui s'élevait des tasses servies par mon valet et se tourna vers moi :

– Sais-tu que Mahomet buvait de cette boisson pour se donner de la vigueur avant le combat ou après l'amour ? Il pouvait alors honorer jusqu'à quarante femmes !

Avec un clin d'œil, il m'expliqua que, dans son pays, quarante signifiait des milliers. C'est pourquoi Ali Baba avait quarante voleurs dans le conte des *Mille et Une Nuits.* D'après Tavernier, l'exagération et l'ironie étaient une forme de politesse chez les Persans. Elles relevaient du sens de l'hospitalité. Il fallait être léger, même dans les circonstances les plus tristes. Ne jamais se montrer ennuyeux. Et toujours plaire. C'était ce qui rendait leur compagnie si attrayante.

Haroun Aly évoqua ensuite la grandeur de ses fonctions, les responsabilités de sa charge, ses jeûnes et ses pénitences. En voyant sa panse rebondie, je pensai qu'il devait s'accorder quelques libertés avec la Loi. Le regard fixé sur le flacon d'argent posé sur un coffre, il m'interrogea sur son contenu.

– C'est de l'eau-de-vie, un élixir contre la fatigue, répondis-je naturellement.

– Sans doute ignores-tu que notre Prophète autorise à boire de l'alcool ceux qui restent maîtres d'eux-mêmes ?

L'interprète lui demanda s'il voulait y goûter. Il fit « oui » de la tête et je lui tendis le flacon. Après avoir bu une bonne rasade, il se réjouit.

– Par Allah ! Voilà une eau qui porte bien son nom.

Petit caravansérail sans commodités, gratuit.

Les drames du voyage

Les dernières lieues dans l'Empire ottoman furent un supplice. Emmitouflés sous des robes et des bonnets fourrés, nous affrontions le blizzard qui descendait des neiges éternelles du mont Ararat. La fatigue se faisait sentir, les reins étaient fourbus, les visages brûlés. Nous aurions aimé n'avoir point de pieds pour ne plus en souffrir.

Au détour d'un chemin, mon cheval trébucha sur la glace et me jeta face contre terre. Le choc fut si rude qu'il m'arracha un cri. Le sang qui se mit à couler sur mon visage me fit remonter à cheval pour m'assurer que j'étais encore en vie.

La caravane de Trébizonde qui nous avait précédés occupait le beau caravansérail du village, nous condamnant à une hôtellerie, rentée comme nos hôpitaux, destinée aux pauvres et aux pèlerins. Mon valet Benoît prépara mon matelas dans une chambre sans fenêtre qu'un brasero réchauffait à peine. Une fois seul, je m'effondrai sur ma couche, plein de mélancolie. Il y a toujours un moment du voyage où l'on croit ne jamais arriver à destination. Pour moi, ce fut dans cette bourgade dont j'ai oublié jusqu'au nom. La solitude me pesait. Des caresses auraient été le meilleur des réconforts, mais je n'eus droit qu'à la visite d'Antoine, en vêtement de nuit, apportant un ouvrage intitulé *Les Conseils pharmaceutiques du Sieur Renou, conseiller et médecin du Roy à Paris*. Sa venue m'agaça.

– J'accorde peu de créance à ces diafoirus, dis-je au risque de lui déplaire. Ceux qui se sont penchés au chevet de ma sœur ont été impuissants à la sauver.

Antoine s'éloigna avec son livre sans me laisser le temps de le remercier de sa visite.

Peu après, Haroun Aly vint observer mes plaies. Son sourire me rassura. Il me promit de m'envoyer Kérym, son médecin personnel, qui m'éviterait l'infection en appliquant des cataplasmes de cendres.

Quand je lui demandai s'il avait subi de graves accidents lors de ses pérégrinations, il ouvrit sa chemise avec un geste théâtral.

– Qu'aurais-tu dit à ma place?

Une large cicatrice courait comme un serpent sur sa poitrine. Sa taille impressionnante prouvait son courage. J'eus honte de mes égratignures en l'entendant évoquer son combat contre des Kouglis en Cappadoce. Une lampée d'eau-de-vie nous permit de méditer sur les dangers de la vie de voyage.

Nous atteignîmes Erzeroum, frontière des terres de Perse, en quarante-sept jours de marche. La ville était proche d'une rivière et située dans une grande plaine bordée de montagnes enneigées dont le fameux mont Ararat où Noé se serait posé avec son arche. Les maisons en bois et en terre étaient tout aussi sinistres que la forteresse du pacha dont on apercevait la silhouette menaçante.

Chaque traite nous éloignait du gouverneur de Constantinople, sans que nous soyons encore tirés d'affaire. L'étape d'Erzeroum était la plus périlleuse puisqu'elle durerait une vingtaine de jours, le temps de changer les monnaies qui n'avaient pas cours en Perse et d'attendre l'autorisation du pacha de continuer la route. Ses hommes flairaient les richesses, les imposaient lourdement ou les confisquaient selon leur fantaisie.

Dès notre arrivée, les douaniers scelleraient nos coffres afin que nous n'enlevions aucun objet précieux pendant les trois jours de repos qu'ils accordaient. Ensuite ils viendraient procéder à une inspection en règle. Peut-être en subirions-nous une nouvelle en quittant la ville.

Pour leur échapper, Tavernier avait caché des rangs de perles sous la jupe de Hollandaises qui étaient du voyage, sachant que les mahométans n'iraient pas fouiller leur intimité. Malheureusement, il n'y avait pas de Hollandaises dans le convoi !

Cependant, nous nous réjouissions de pouvoir bénéficier d'un « palais des caravanes » réservé aux marchands, dont la beauté résidait dans ses tours défensives et les animaux sculptés sur le porche. En tête du convoi, Haroun Aly leva sa main gantée devant la grande porte en bois clouté, que les sentinelles ouvrirent aussitôt. Le pas des chevaux résonna dans une galerie entourée de boutiques et d'une cuisine approvisionnée par les paysans du coin.

Pendant que nous nous rafraîchissions aux eaux vives de la fontaine, symbole des bienfaits d'Allah en ces régions désertiques, les bêtes étaient menées à l'abreuvoir. Les muletiers commençaient à décharger leurs ballots dans une vaste cour carrée entourée de chambres en ogive sur un étage. Il y avait une forte odeur de tabac et d'épices. Des tapis et des rouleaux de soie s'entassaient dans les cris et la bousculade. Quel bonheur de dormir enfin dans un lieu à l'abri des attaques et du vent ! La nuit, le concierge fermerait la porte et une sentinelle monterait la garde à l'extérieur. En cas de larcin, on n'ouvrirait pas tant que le voleur n'avait pas été trouvé.

Les premiers voyageurs arrivés étaient les premiers logés. Alors que j'attachais mon cheval devant une chambre libre, Antoine m'annonça qu'il avait froid et préférait se coucher sans souper. S'il n'arrivait pas à se réchauffer, il dormirait dans l'étable avec les bêtes.

Je n'y prêtai guère attention, car j'étais ravi de partager le repas d'Haroun Aly. Aux étapes, le caravanier oubliait les soucis de sa charge et devenait un vrai Persan, amusant et chaleureux. Ses gardes allèrent creuser un trou dans la terre pour y faire du feu et rôtir un agneau. Des musiciens et des conteurs étaient attendus pour égayer la soirée. Me voilà enfin introduit dans le cercle de ses familiers.

C'était une nuit de janvier fraîche et si claire que les étoiles auraient suffi à éclairer les visages. Une vingtaine de convives aux costumes chatoyants, Kurdes, Tadjiks du Pamir, Hindous ou Chinois prirent place autour du chef, assis en tailleur sur une natte. Ses hommes découpaient des morceaux de viande croustillante qu'ils nous présentaient au bout de piques. Comme il n'y avait pas le moindre Turc parmi nous, je pensais que personne ne me gâcherait la soirée.

Nous prenions plaisir à écouter un jeune homme réciter d'une élocution vive et fleurie *La Tisserande des nuits,* l'un des contes les plus égrillards des *Mille et Une Nuits.* Il mima les esclaves noirs qui pénétraient dans le sérail du roi, déguisés en femmes, avec des gestes indécents et drôles.

– Voilà le sort qui nous est réservé! s'esclaffa Haroun Aly. Sa Majesté croit régner sur la terre entière alors que le malheur habite sa maison. Nous avons tellement peu confiance dans la vertu de nos épouses que nous recevons comme un grand compliment la ressemblance avec nos fils.

Ses confidences étaient surprenantes dans un pays où les femmes vivaient enfermées dans des harems. La voix enjouée du conteur couvrait les crépitements du feu lorsque le valet d'Antoine apparut, affolé, en disant que son maître avait vomi du sang.

C'en était fini des plaisirs. Il me fallut courir vers mon compagnon. Allongé dans sa chambre, les yeux mi-clos, il avait un teint cadavérique. L'ouvrage du sieur Renou traînait sur le tapis à côté d'une fiole de poudre bleue dont je lui demandai l'usage.

– C'est du lapis-lazuli, murmura-t-il faiblement. Rien n'est plus efficace contre la dysenterie. J'en ai bu une décoction et me sens déjà mieux.

– Tu ne sais même pas ce dont tu souffres!

– Si… J'ai lu dans mon talisman que j'avais les symptômes de la fièvre des marais.

Un jour, ses superstitions finiraient par le tuer. Sa pâleur me fit craindre pour sa vie. Cette maladie pourrait l'emporter en quelques jours, surtout s'il refusait les médecines orientales. En m'entendant demander à mon valet d'aller chercher Kérym, Antoine grimaça et remonta sa couverture de laine, comme s'il refusait d'être soigné par un mahométan!

– Je n'ai pas peur de mourir, dit-il.

Je revis avec plaisir le vieux savant au visage buriné qui passait son temps à regarder le ciel en disant, comme Avicenne, que le pouls de l'Univers battait derrière les étoiles. Pendant qu'il examinait Antoine, je fis les cent pas dans la cour en priant Dieu de guérir mon compagnon. Je m'étais attaché à lui comme on s'attache à quelqu'un qui vous exaspère, mais dont la personnalité vous attendrit. Ce serait trop triste qu'il ne puisse atteindre le pays des diamants.

– Sa respiration est irrégulière, précisa Kérym en sortant de son logis. Il continue à vomir du sang. Son visage est trempé de sueur et son corps secoué de frissons, symptômes de la fièvre des marais. Je lui ai prescrit du vin chaud mêlé d'écorces de quinquina.

– Pensez-vous que ses jours sont en danger?

Il leva les yeux au ciel.

– Il guérira si sa constitution résiste à la fièvre. La sagesse de l'homme est impuissante devant les décrets du Très-Haut!

Je décidai de le veiller pour m'assurer qu'il prenne sa potion toutes les trois heures. Pendant la nuit, son sommeil fut si agité qu'il délira en réclamant les derniers sacrements. Au petit matin, j'exprimai mes craintes à Haroun Aly, qui m'écouta en tapotant son fouet contre sa botte.

– S'il n'est pas rétabli avant notre départ, nous serons obligés de l'abandonner. De toute façon, il ne survivrait pas au voyage.

– Alors je resterai avec lui!

– Encore faudrait-il que tu le puisses! Tu me prends pour une vieille barbe! Depuis Scutari, je sais que vous n'êtes pas anglais. Je connais ces chiens de Turcs et leur esprit de vengeance! S'ils découvraient votre supercherie, ils vous puniraient sévèrement.

Je lui expliquai pourquoi nous avions dû faire appel à l'ambassadeur d'Angleterre pour quitter Constantinople.

Le caravanier fronça les sourcils, l'air de signifier que mes arguments ne m'éviteraient pas la vindicte du pacha.

– Tant que tu es sous ma protection, tu ne risques rien, dit-il d'une voix ferme. Un Persan chiite ne sert jamais la cause des Turcs sunnites. Mais si vous restez à Erzeroum, je ne donne pas cher de votre peau.

La rose fleurie du paradis

1666

Lors des dernières traites, la neige s'était arrêtée de tomber.

En descendant de la colline avec le groupe qui nous accompagnait depuis Tabriz, Ispahan nous apparut comme un îlot luxuriant au milieu du désert. Nous étions épuisés mais heureux d'être en bonne santé et avec tous nos biens. Quatorze mois nous avaient été nécessaires pour rejoindre celle que l'on appelait la « moitié du monde ».

Quand Shah Abbas le Grand en fit sa résidence au cœur d'un royaume agrandi par ses conquêtes, il la dota d'incomparables jardins et de larges avenues, semblables à celles des capitales d'Europe. Ce n'était pas tant le nombre des mosquées, il y en avait plus de cent soixante, des caravansérails, on en comptait près de deux mille, ou des bains qui fascinait les voyageurs que leur raffinement et leur simplicité. Le marché de la soie animait le Grand Bazar.

Selon Haroun Aly, que j'avais quitté avec beaucoup de tristesse, Ispahan était bien une ville de plaisirs. La cour était fréquentée aussi bien par des lettrés que par des danseuses de Circassie, réputées pour être les plus belles femmes au monde. C'était ça le génie persan, la diversité, la surprise, l'amour de la vie, l'exaltation des contradictions. Un monde à part.

Nous entrâmes en ville à cheval par le magnifique pont des Trente-Trois-Arches qui enjambait le Zenderoud, la rivière fécondante qui irriguait la végétation avant de se perdre dans les sables.

Antoine marchait à mes côtés. Par bonheur, il avait survécu à ses fièvres. Sa convalescence avait été longue et la fatigue ne l'avait pas quitté. Il restait persuadé de devoir sa santé à ses pierres précieuses. Sa maladie nous avait rapprochés et m'avait permis de bénéficier d'une liberté de décision que je n'avais plus à conquérir.

Nous avions franchi une étape essentielle. Maintenant, nous avions le regard tourné vers le roi. Le succès de notre voyage dépendait de nos relations avec lui.

Nous traversâmes l'immense place Royale où l'art safavide atteignait son plus haut degré de raffinement.

Deux magnifiques mosquées, plus gaies que celles des Turcs, représentaient le pouvoir spirituel. Le dôme de la Mosquée royale était vernissé d'un émail merveilleusement bleu. Celui de la Lotfallah semblait piqué d'or et d'émeraudes comme s'il avait été conçu par un orfèvre. Le pouvoir temporel siégeait au palais Ali Quapu où vivait le roi et au Grand Bazar où les bazari détenaient une puissance insoupçonnable par leurs affaires et les soutiens qu'ils apportaient aux dignitaires et aux religieux.

Ce matin-là, Shah Abbas II était assis sur un tapis de soie dans son palais. Il tirait d'un air absent sur son *kalyan*, plongé dans un terrible ennui. Sa physionomie pâle disparaissait sous un turban bayadère. Sa barbe était coupée court et ses fines moustaches tournées vers le bas en signe d'humilité. Ces derniers temps, il avait eu des difficultés de concentration, des rires irraisonnés et des colères injustifiées. Toute la cour était en attente de ses désirs, mais il n'en avait pas, et cela inquiétait ses épouses.

Il partageait ses festins avec elles, mais quand il était échauffé par le vin, il lâchait la bride à la volupté, les renvoyait au sérail et faisait venir

*Tchahar Bagh (les « Quatre jardins »), Ispahan. Magnifique avenue
de 1 600 mètres avec canal, fontaines et allées cavalières.*

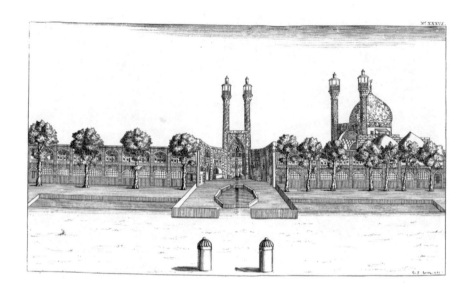

La Mosquée royale située sur la Place royale,
longue de 510 mètres sur 165.

des prostituées auxquelles il n'avait point d'obligation de respect. On murmurait qu'il souffrait d'une maladie déshonnête qui se montrait au front de ceux qui en étaient atteints et affichait leur fréquentation de femmes impudiques.

Mirza Baker, le chef des astrologues, se présenta dans ses appartements où il était l'un des rares dignitaires à pouvoir pénétrer à toute heure. Cet homme au profil de rapace et à la barbe noire d'une fraîche teinture portait un manteau de brocart qui lui donnait la prestance dont il était naturellement privé. Il était parvenu par les intrigues à la place éminente qu'il occupait. Ses batailles avec le chef des médecins étaient mémorables. Il s'indignait qu'un savant possède des connaissances qu'il n'avait jamais pu acquérir.

Cependant, il était bien en cour. Le souverain accordait beaucoup de créance à ses divinations et se conduisait par ses avis. Ses prédictions valaient de l'or. Les courtisans faisaient appel à lui dans l'espoir d'être dans le secret des dieux.

Shah Abbas esquissa un sourire en voyant le mage se prosterner devant lui. Après de longs salamalecs, celui-ci sortit de la bourse qu'il avait à la ceinture un astrolabe en cuivre doré. Si les navigateurs s'en servaient pour mesurer la hauteur des astres au-dessus de l'horizon, les astrologues utilisaient l'instrument pour donner un semblant de vérité aux prédictions les plus extravagantes.

Après avoir fouiné dans les étoiles, Mahamad Beg déclara d'une voix docte :

– Sa Majesté ne souffre que de l'incompétence de ses médecins. Je vois en heureux présage l'arrivée de riches étrangers porteurs de présents et de joyaux rares.

Chaque jour, il participait aux affaires de la Cour, plaçait ses hommes pour connaître le dessous des choses, l'humeur du souverain, les rivalités et les amours. Il savait la passion de Shah Abbas pour les pierreries et le bel ouvrage à la française. Les douaniers l'avaient averti que des joailliers s'apprêtaient à entrer dans Ispahan avec sept mules de bagage. Le surintendant des biens du roi, le *nazir*, dont le nom signifie « celui qui voit et sait tout », l'ignorait encore.

Jean-Baptiste Tavernier m'avait conseillé de loger chez les capucins à cause de la personnalité du père Raphaël, leur supérieur. En Perse depuis une vingtaine d'années, ce mathématicien entretenait d'excellentes relations avec le shah à qui il servait d'interprète. De plus, il se mettait au service des marchands pour les aider à comprendre une civilisation originale et affronter les difficultés du commerce avec les Persans.

Leur congrégation avait acquis au début du siècle un ancien palais, sous le nom du roi de France, afin de ne pas être molestée par les autorités. Hormis les compagnies de commerce et les missions religieuses, les étrangers étaient relégués à Djoulfa, de l'autre côté de la rivière, par peur qu'ils n'entraînent les mahométans à la débauche.

Trois religieux et deux frères laïques, appréciés en ville pour leurs talents médicaux, composaient leur communauté. Ils n'inquiétaient personne parce qu'ils ne convertissaient personne. S'ils combattaient les huguenots en France, ils avaient appris la tolérance dans un pays où plusieurs religions cohabitaient sous l'égide du chiisme, religion d'État. Celle-ci recommandait de convertir les infidèles, mais, si l'on n'y parvenait pas, il fallait les traiter avec humanité à condition qu'ils paient un tribut, symbole de leur soumission au roi mahométan.

Leur mission était très bien placée au cœur de la ville. Elle était entourée de jasmins, de palmiers et de grenadiers visibles à travers la grille à laquelle des sentinelles montaient la garde.

Le père Raphaël nous accueillit en personne. Il ne portait pas de turban, seule entorse à sa persanisation, mais un bonnet de feutre d'où s'échappait une longue tresse blanche. Son regard vif donnait confiance.

– Soyez les bienvenus dans la maison de Dieu, dit-il en nous conduisant vers nos chambres.

Pont Kajhu à deux étages sur le Zenderoud, Ispahan.

Celles-ci, décorées de fines arabesques, étaient dignes d'un palais, mais froides, car le bois était rare et cher à Ispahan. Nous enlevâmes nos vêtements humides pour permettre aux frères laïques de soigner nos engelures avec des pansements d'herbes.

Un grand sentiment de bien-être nous envahit au moment du souper qui fut servi près du feu dans un ancien salon transformé en réfectoire. Antoine était somnolent. Le vin de Chiraz me redonnait des forces.

Le père Raphaël fut surpris lorsque je lui demandai s'il pensait que le roi nous accorderait audience rapidement.

– Comment répondre à cette question ? On ne fait pas antichambre à la Cour.

– Tavernier a été convoqué le lendemain de son arrivée.

– C'est vrai, j'étais là… Si Sa Majesté veut voir vos bijoux, le prévôt des marchands, qui a la charge des relations de commerce avec les étrangers, viendra vous quérir et vous conduira au palais. Donnez-vous patience !

Un des frères laïques, qui faisait office d'herboriste, émit des réserves.

– On dit à la Maison de café que le roi ne reçoit plus en ce moment. Il souffrirait d'une inflammation de la gorge. Le pays serait menacé par le Grand Moghol qui désirerait récupérer la forteresse de Kandahar, source de conflit perpétuel entre les deux pays, et s'apprête à nous attaquer.

– Est-ce vraiment sérieux ?

– Personne n'en sait rien. Ispahan est la ville des rumeurs. Ce qui se murmure au palais parvient amplifié et déformé au Bazar.

La dernière audience du père Raphaël à la Cour remontait au mois de novembre, lorsque La Boullaye et Lalin, les envoyés du roi de France, étaient venus annoncer la création de la Compagnie française des Indes orientales afin de contrebalancer la puissance des Anglais et des Hollandais.

– Ils se sont mal conduits et m'ont mis dans l'embarras, s'écria le capucin. Ils ont refusé d'écouter mes conseils en se présentant comme des gentilshommes, animés d'une grande curiosité de voyager. Les Persans, qui n'aiment pas se déplacer, n'ont pas compris qu'on accomplisse des milliers de lieues avec tant de désagréments et de risques pour venir les voir. Ils les ont soupçonnés d'être des espions. De plus, ils ont ignoré la valeur des présents qui, plus qu'ailleurs, scellent les amitiés en Orient. Le vieux mousquet et le portrait de Louis XIV qu'ils ont offerts ont été remisés dans un coin du palais avec ce qui n'a pas d'usage!

Antoine sortit soudain de sa somnolence.

– Pour savoir si nous allons être reçus par Sa Majesté, j'ai besoin de connaître sa date de naissance pour m'adonner à une séance de divination.

– Elle est secrète pour ne pas attirer le mauvais œil sur sa personne, répondit le supérieur avec sérieux. On lui prête trente-huit ans. Shah Abbas est un personnage contrasté, à la fois humaniste et cruel, généreux et terrifiant. Il a droit de vie et de mort sur ses sujets. Comme les autres tyrans, il condamne d'un signe un ministre dont il oublie les mérites ou l'un de ses favoris qui était la veille son compagnon de débauche. Parfois, il se contente d'éloigner ses rivaux en leur faisant perdre la vue. Autrefois, on passait un fer rouge devant les yeux, mais comme il a été lui-même sauvé par l'un de ses eunuques dans son enfance, il commande de les énucléer pour plus de sûreté!

– Mais c'est un barbare! s'écria Antoine.

– Ne vous inquiétez pas! Avec les étrangers, le roi est magnifique!

Entrée du Grand Bazar sur la Place royale d'Ispahan.

Le mollah Hisham

Pour s'occuper, Antoine faisait, avec le frère herboriste qui lui servait d'interprète, la tournée des lapidaires et graveurs de cachets sous les arcades de la grande place, près du logis des filles de joie. Le commerce des amulettes était florissant à Ispahan. Elles s'attachaient aux manches des chemises ou se portaient en bague avec des hadiths du Prophète. C'était curieux de voir un peuple aussi savant et éclairé croire qu'il y avait de la fatalité partout. Même le chat du roi portait un collier d'or contre les mauvais sorts.

Après quelques jours consacrés au repos et à l'écriture de lettres, je décidai d'apprendre le farsi, la langue la plus utilisée en Perse, même si le turc était celle de la Cour. Je refusais d'être victime de mauvais traducteurs et de commettre les erreurs de certaines relations de voyages.

Quand je demandai au père Raphaël s'il connaissait un professeur, il me répondit que seuls les dignitaires versés dans la loi coranique et l'interprétation des textes savaient lire et écrire. Il me recommanda Hisham, un jeune mollah qui donnait des sermons à la Maison de café, pour compenser ses maigres revenus à la mosquée. Il venait parfois partager leur repas parce qu'il ne mangeait pas toujours à sa faim.

Haroun Aly se moquait des mollahs en disant qu'ils étaient intolérants, hypocrites, avides d'acquérir des biens et peu soucieux de les partager. Il répétait un proverbe fameux : « Gardez-vous du devant d'une femme, du derrière d'une mule et d'un mollah de tous les côtés ! »

Comme j'exprimai ma réticence, le père Raphaël essaya de me convaincre en disant que les mollahs n'étaient pas ordonnés prêtres comme les catholiques. Ils lisaient le Coran dans les mosquées, enseignaient, étaient scribes ou prédicateurs. La plupart d'entre eux n'étaient ni opulents ni intrigants, mais, comme cela arrivait dans toutes les religions, certains n'aimaient pas les infidèles.

– Hisham doit avoir à peu près votre âge. Il n'a rien d'un dévot et envisage même de renoncer à enseigner la théologie. C'est un érudit plaisant, de bonne compagnie.

Le lendemain, je marchai à l'ombre des platanes pour aller le trouver. Le ciel était d'un bleu magnifique et l'air d'une grande légèreté. La place Royale était grouillante de marchands installés sous des tentes et animée par toutes sortes de bateleurs, de lutteurs, de montreurs d'ours et de prisonniers dans des carcans.

À la Maison de café, l'ambiance était détendue. Les clients étaient installés sur des estrades couvertes de tapis et de coussins. Certains discutaient, d'autres jouaient aux échecs, qui permettaient de devenir le maître du monde, selon les Persans.

Perdu dans un *aba* de camelot aux manches flottantes qui retombait sur ses talons, le mollah Hisham parlait dans la plus parfaite indifférence. Sa mine était humble et touchante. Sa barbe clairsemée attirait moins l'attention que ses yeux bruns fiévreux. Il portait un turban blanc, signe qu'il ne prétendait pas descendre du Prophète. Personne ne l'écoutait. Moi, je ne comprenais pas grand-chose à son sermon. Il s'arrêta peu avant la prière de midi.

– Assez prêché! Au nom de Dieu, allez à vos affaires!

Ensuite, il pensa aux siennes en présentant une corbeille aux clients pour leur rappeler leur devoir d'aumône. En déposant mon obole, je l'invitai à partager ma pipe à eau ce qu'il accepta avec plaisir.

Les Orientaux consomment le tabac à travers des *guri-guri* en cristal, remplis d'eau. Les Turcs l'appellent *narghilé*, les Persans *kalyan*. Le tabac d'Égypte est si doux qu'il ne donne jamais mal à la tête.

Le mollah m'apprit à aspirer par le bec du tuyau. Cela me fit d'abord tousser, puis j'appris à tirer des bouffées. Nous commençâmes à rire. Ce plaisir partagé nous rendit complices et je lui demandai s'il voulait bien m'apprendre le farsi. Un large sourire éclaira sa physionomie.

– Je serai très honoré de t'enseigner cette langue si parfaite qu'elle ne peut être embellie.

Nos premiers cours eurent lieu dans une petite salle ouverte sur le jardin d'iris à l'école d'une mosquée. À partir de phrases simples, il s'agissait de différencier ce que l'on apprenait par ouï-dire, par expérience ou par jugement. Je m'initiai ainsi aux subtilités de la pensée persane, qui me seraient utiles lors de la négociation des bijoux si elle avait lieu un jour. Mon goût de la découverte était comblé.

Un jour, mon professeur me proposa de découvrir l'œuvre persane la plus belle de tous les temps, la plus lue, dont la mosquée possédait un exemplaire rare orné des plus riches illustrations. Cette idée m'enchanta.

À ma grande surprise, un ouvrage en maroquin rouge incrusté de calligraphie d'or m'attendait, le lendemain. Il reposait sur un porte-livre devant le tapis où nous avions l'habitude d'échanger des idées.

– Quel est le titre? demandai-je.

– Nous l'appelons Révélation divine.

Une fois que je réalisai qu'il s'agissait du Coran, je pris peur.

Pour devenir musulman, il suffit de prononcer la profession de foi. Dans une taverne de Constantinople, des marchands s'étaient amusés à

Position persane : s'asseoir sur les quatre genoux.
Les genoux et les pieds sont posés à plat par terre.

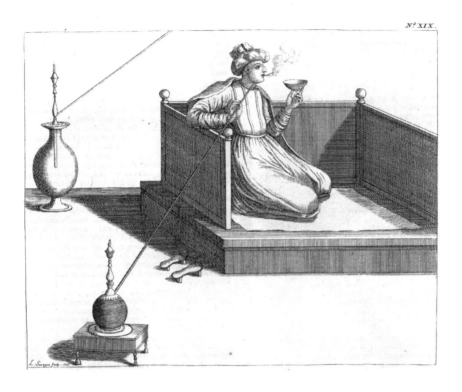

Fumeur de kalyan.

répéter : « Je ne crois qu'en un seul Dieu, Mahomet est son prophète. » Ils s'étaient convertis sans le vouloir. Dès lors, ils étaient surveillés et bastonnés s'ils buvaient de l'alcool ou ne jeûnaient pas.

Hisham voulait-il me jouer un mauvais tour ?

S'amusant de ma surprise, il me rassura : les imams l'espionnaient et il feignait de me convertir. Que je ne m'inquiète pas ! Shah Abbas avait lu des passages du Nouveau Testament des chrétiens par curiosité.

J'acceptai malgré mes préjugés, car je désirai poursuivre mes leçons. Les quelques versets choisis par Hisham disaient à peu près ceci : « N'épousez pas vos mères, vos filles, vos tantes, vos nièces, vos sœurs de lait, vos nourrices. C'est une turpitude, c'est une abomination et un mauvais usage : toutefois, si le fait est accompli, Dieu sera indulgent et miséricordieux. »

Mon mollah me certifia que les Persans étaient libres de croire ce qu'ils voulaient. À condition qu'ils ne renient pas l'Alcoran publiquement, chacun en expliquait les mystères comme il l'entendait. Néanmoins, je préférais traduire d'autres textes. Pourquoi pas des extraits des *Mille et Une Nuits*…

– Ces contes sont notre art d'aimer, soupira le mollah, l'air rêveur.

Persuadés que l'amour est un état divin, les Persans aiment à jouir de l'instant.

Il préféra poursuivre nos leçons sur la terrasse de la Maison de café plutôt qu'à la mosquée. À voir sa voracité à engloutir ses pâtisseries, j'en conclus qu'il cherchait davantage à savourer des friandises qu'à convertir un infidèle.

C'est ainsi que naquit notre amitié.

Le baiser au pied du roi

Tout en taillant les rosiers au jardin, Paul, le frère laïque, me racontait que les capucins l'avaient recueilli après qu'il avait subi un naufrage dans le golfe d'Ormuz. Leur dévouement avait été sans limites. Aussi était-il resté à la mission pour les assister. Il se sentait bien en Perse. La bonté de l'air le rendait léger, la brillance du ciel l'égayait, la vivacité des habitants le poussait à profiter de l'instant, à rechercher le plaisir. Adepte du médecin grec Galien, il prétendait que le climat influençait les tempéraments et les manières des hommes. D'après lui, je n'y échapperais pas et j'en ressentirais, moi aussi, les bienfaits.

Notre conversation fut interrompue par un grand vacarme en provenance de la grille où un brillant équipage venait d'arriver. Il était conduit par un élégant cavalier. Son visage était mat, son port de tête altier. Un manteau rehaussé de fils d'or s'étalait sur la croupe de son cheval.

– C'est Agha Piri, le prévôt des marchands, s'écria le frère.

– Celui que nous attendons depuis notre arrivée ?

– Il n'y a que lui pour se déplacer avec cette pompe !

Quand l'Arménie était passée sous domination perse en 1604, Abbas le Conquérant avait emmené de force des marchands pour développer le commerce dans son royaume. Ces chrétiens de rite grec avaient été installés à Djoulfa, de l'autre côté du Zenderoud.

Après s'être présenté, Agha Piri m'annonça que le *nazir*, maître de la Maison du roi, me commandait de montrer au souverain les joyaux que j'apportais de France et de nous tenir prêts pour le lendemain.

Enfin, le ciel m'octroyait ce que j'attendais. Je courus prévenir Antoine chez les joailliers de la grande place.

– Demain sera le plus beau jour de notre vie, dis-je en tombant dans ses bras.

Personne ne se présente devant un souverain sans être bien mis et parfumé. Antoine avait peur de se rendre au hammam. Paul réussit à me convaincre que l'eau que nous craignions en France détendait ici le corps, diminuait l'abondance des humeurs et profitait à l'âme puisque, d'après les mahométans, elle la purifiait de ses péchés !

Il me confia au garçon de bains qui me fit entrer dans une petite pièce où j'enlevai mes vêtements et cachai ma nudité sous un linge. Je me plongeai ensuite dans un bassin d'eau tiède où les femmes s'étaient prélassées le matin. Les senteurs d'eau de rose et de santal dont elles s'imprègnent pour augmenter leur séduction le parfumaient encore. Je faillis mourir étouffé dans l'étuve, puis un masseur faillit m'arracher la peau avec une mitaine de bouracan. Ensuite, je m'étendis sur un lit de repos. En sortant, je me sentais si léger que j'avais l'impression que les anges du ciel marchaient à mes côtés.

Le lendemain, nous revêtîmes nos plus beaux atours et des turbans plus imposants que ceux des Turcs, coupés par Haroun Aly dans sa manufacture de Tabriz en perspective de l'audience royale.

Nous étions tout guillerets en partageant nos succès avec le père Raphaël, heureux de retourner à la Cour pour nous servir d'interprète. Comme les gens de condition ne marchent pas à pied dans les rues d'Ispahan qui sont sales et sans pavés, le prévôt des marchands nous donna des montures caparaçonnées d'argent que nous laissâmes à l'entrée du palais Ali Quapu que l'on ne passe pas à cheval par respect pour l'imam Ali. Cette porte monumentale en porphyre domine la place. Elle est considérée comme un lieu sacré.

Nous fûmes impressionnés par le parc du pavillon des Quarante-Colonnes où nous suivions le coffre de nos bijoux, porté par des esclaves. Rien n'est plus éloigné de nos jardins à la française que ceux des Persans, foisonnants et libres de tout alignement. Ils sont conçus d'après l'idée que l'on se fait du Paradis. Les massifs sont emplis de plantes odorantes. Les fontaines coulent dans des bassins bordés de roses. Il n'y avait pas de ruisseau de miel ou de parterre en pierres précieuses, mais nous étions bien au Paradis!

En chemin, le père nous rappela que Negef Coulibec, le *nazir,* était un ministre du premier ordre qui avait la garde des trésors, des bâtiments, des meubles, des manufactures, des magasins du palais, en un mot de toutes les affaires qui regardaient la Maison du roi. Sans son accord, nous ne pourrions rien lui vendre.

Il conseillait de s'en méfier. Sous les flatteries qu'il prodiguait aux marchands, il pensait autant à ses intérêts qu'à ceux du souverain puisqu'il touchait un pourcentage sur les affaires le concernant.

Nous étions attendus à l'entrée d'un petit palais, abrité sous des platanes censés le protéger de la peste. Son charme provenait de ses fines colonnes en bois peint. Elles se reflétaient dans une pièce d'eau d'une belle couleur verte.

C'est là que le *nazir* vint à notre rencontre aussi vite que le lui permettaient ses formes replètes, mal contenues par ses ceintures.

Après nous avoir salués la main sur le cœur, il demanda à voir le présent que nous destinions à son maître. La montre sonnante avec un paysage de palmiers peint à l'émail que je lui remis l'enchanta. Il écouta son mécanisme avec un petit sourire. Si elle lui avait déplu, il ne nous aurait pas conduits sous l'*iwan,* tapissé de bris de miroirs, puis dans l'impressionnante salle des audiences.

Les murs étaient ici revêtus de marbre blanc peint et doré jusqu'à mi-hauteur. Le reste était fait de châssis de cristal de toutes les couleurs.

Nous osions à peine marcher sur les merveilleux tapis de soie et lever les yeux vers les grandes fresques, élevées à la gloire de la dynastie safavide, surtout celle où Abbas le Grand bataillait contre des guerriers noirs, montés sur des éléphants blancs. Dès notre arrivée, Hossein Pacha, l'aimable chef des orfèvres, disposa nos bijoux sur un coussin de soie rouge, à portée du regard de Sa Seigneurie.

Puis nous attendîmes. Notre petite horloge de jade égrena les minutes, une heure durant. Nous redoutions que Sa Majesté ne renonce à venir ou qu'elle ne soit malade. Enfin, elle sortit de ses appartements, entourée de jeunes eunuques géorgiens réputés pour leur beauté et de quelques dignitaires, dont l'*athemat-doulet,* sorte de grand vizir, le grand chambellan et le chef des astrologues. Son entrée me fit battre le cœur si fort que je crus l'entendre résonner dans la pièce. Je fus frappé par sa dignité.

Tout était réglé par le protocole. L'un des eunuques retira ses babouches au souverain afin qu'il s'agenouille sur son trône, une petite estrade incrustée de pierres précieuses. Un traversin couvert de perles lui servait de dossier. Ce prince de bonne mine, de moyenne taille et de peu de chair avait un regard clair. Son manteau rayé vert et rouge était fermé par des brides en rubis et diamants. Aucune pierre ne brillait sur l'aigrette de son turban. C'était un jour comme un autre.

Le chef de l'écritoire s'installa à ses pieds, un rouleau de vélin sur les genoux, prêt à inscrire ce qu'on lui commanderait, puis le *nazir* amorça une révérence, peaufinée par des années de Cour :

– Majesté, permettez au plus modeste de vos esclaves de vous présenter ces gentilshommes qui, attirés par la gloire du plus grand Roi de l'Asie, sont venus lui apporter des trésors.

Il nous prit par la main pour nous faire faire le baiser aux pieds du roi, en portant le visage à terre par trois fois. Ce salut est destiné à magnifier sa personne et à impressionner les étrangers. Les manières de Cour des Persans sont si raffinées que les autres Orientaux les ont imitées.

Soudain, le roi changea de visage. Son teint devint cireux, son regard devint vide comme si ses yeux étaient en verre. Devinant mon inquiétude, le père Raphaël me dit qu'il feignait d'être insensible aux joyaux pour montrer qu'il n'était pas séduit par les choses matérielles, alors qu'il visitait les gouverneurs de province dans l'espoir d'en recevoir de somptueux cadeaux. Son explication ne me rassura qu'à moitié.

Le *nazir* m'interrogea ensuite sur le déroulement de notre voyage.

– La traversée de la Perse n'a été qu'une suite d'émerveillements, fis-je avec enthousiasme.

Son regard se fit insistant.

– N'auriez-vous pas aperçu des phénomènes inhabituels dans l'Empire ottoman, des agitations, des mouvements de troupes?

Le père me glissa à l'oreille que les Persans, conquis par les Arabes au VIIᵉ siècle, redoutaient les agressions de leurs voisins turcs et moghols. Leur armée était belle pour les revues, mais pas pour la guerre. Je répondis ce qu'on voulait entendre :

– Si nous avons croisé plusieurs grosses caravanes, nous nous sommes déplacés la plupart du temps sur des routes balayées par les vents et fréquentées par des chiens errants.

Ces banalités me valurent compliments.

– Les marchands d'Europe sont les bienvenus sur nos terres, s'écria le ministre. Ils les enrichissent et nous leur en savons gré.

Antoine et moi échangeâmes un regard complice.

La force des monarques absolus est de pouvoir commander d'un signe imperceptible. L'eunuque remit ses babouches à Shah Abbas, qui s'en retourna vers ses appartements, suivi du chef de l'écritoire qui n'avait rien écrit. Nos bijoux paraissaient abandonnés sur leur coussin.

L'inquiétude nous gagnait quand le *nazir* se précipita vers nous.

– Les yeux du souverain ont été éblouis par les merveilles que vous lui avez présentées. Appliquez votre cachet sur le coffre des bijoux qui seront enfermés dans le trésor royal, en attente de sa décision.

Sur ces mots, il disparut sans nous en dire davantage. Le prévôt des marchands s'en retourna à Djoulfa. Sur le chemin du parc, le père Raphaël nous avoua que le roi l'avait effrayé. Il ne l'avait jamais vu dans cet état. On aurait dit qu'il avait l'esprit ailleurs, comme s'il était absent à lui-même.

Nous ne savions que penser.

Le soir, j'adressai cependant une lettre optimiste à mes parents.

« J'aurais aimé que vous fussiez près de moi. C'était tellement émouvant de voir nos joyaux dans l'écrin du palais royal. J'espère que nous serons bientôt des "marchands de grande considération" […]. Je vous imagine en train de commenter ma lettre. J'entends aussi le bruit de notre enseigne lorsqu'elle est agitée par le vent. »

Ma lettre, datée du 4 avril 1666, n'arriva à Paris qu'en juin 1667.

Les danseuses circassiennes

Antoine se consacrait à l'art des sortilèges avec des lapidaires de la place Royale, en prétendant déceler les défauts qui rendaient les pierres maléfiques. Au cours d'une séance de divination, une ombre apparut dans son talisman et se perdit dans le fond glacé de son eau trouble. Selon lui, elle ne pouvait qu'annoncer un malheur.

Ses présages me parurent ridicules.

Non seulement Sa Majesté avait acquis tous nos bijoux, mais ayant été initiée aux arts durant son enfance par un peintre hollandais, il avait dessiné de sa main des bouquets de pendeloques ornés de brillants en poire, des fleurs en diamants pour les tresses de ses épouses, des poignards et des montres sonnantes. Cette commande fabuleuse, qui s'élevait à près de trois cent mille ducats d'or, était assortie d'une promesse d'acompte, ce qui était rare en Perse.

Comble de bonheur, le roi nous invitait à suivre la Cour pendant l'été, dans le Mazandaran, puis à Damghan. Je me réjouissais à l'idée d'assister aux spectacles des danseuses royales, de chasser le fauve avec le grand veneur, de rencontrer des poètes ou des savants aux soirées de la Cour.

Antoine refusa ce qu'il appelait des « mondanités ». Il préféra rester à Ispahan pour mettre en œuvre des bijoux avec les rubis et les émeraudes que nous avions achetés à Tabriz. Nous comptions les vendre au Grand Moghol lorsque nous serions aux Indes.

Persanes portant différents costumes. On peut imaginer
que la deuxième et la troisième soient danseuse ou courtisane.

Au début du mois de juin, la caravane royale quitta Ispahan dans un nuage de poussière. Le temps était sec et déjà très chaud. Princesses et favorites nous avaient devancés dans leurs *bassours,* sortes de palanquins grillagés qui leur permettaient de voir sans être vues. Des eunuques noirs connus pour leur cruauté et leur fidélité au roi les surveillaient étroitement. Au cri de « courrouk, courrouk », les rues et les villages devaient être vidés de leurs habitants. Les hommes qui s'attardaient sur leur passage étaient battus à mort.

Ma compagnie était recherchée, comme il en est dans tous les pays lorsque le roi vous a distingué. Je liais connaissance et amitié avec plusieurs dignitaires dont le prince de l'Eau Jafer Khan, qui m'invita à voyager dans son équipage. Ce ministre flamboyant d'une trentaine d'années, aux fines moustaches et aux yeux verts soulignés de khôl, détenait l'une des charges les plus profitables du royaume, celle des ingénieux *canats* souterrains qui récupéraient les neiges des montagnes pour irriguer les terres arides. Il était jalousé à la Cour et détesté par les paysans qui lui payaient un lourd tribut.

Ma première rencontre avec Shah Abbas eut lieu dans une oasis à la lisière du Dasht-e-kavir, un désert craquelé de sel, formé d'une pâte grisâtre qui, par endroits, cédait sous le poids des chevaux et vous engloutissait comme des sables mouvants. Nous étions assis dehors sous des ombrelles, face à l'immensité du désert, à côté du palais de toile soutenu par des piliers d'or qu'on lui dressait en l'absence de maison de plaisance dans la région.

S'il paraissait bizarre aux Persans que l'on s'intéresse aux coutumes étrangères, Abbas, lui, ne manquait pas de curiosité. Bien informé sur les gouvernements et les armées étrangers, il l'était moins sur nos mœurs. Comme il m'interrogeait sur les épouses du roi de France, je lui appris que sa religion ne lui en autorisait qu'une, mais qu'il s'octroyait le droit d'avoir plusieurs favorites. Cela le fit sourire. Quand il demanda à voir un portrait de la mienne, je dus avouer que je ne pouvais imposer à personne les tribulations d'un si long voyage.

— Le jour venu, quels seront alors les critères de ton choix?

— Si en Perse on recherche les sourcils qui se rejoignent sur le front, dans la République de Venise, on les aime fins et déliés. En Chine, on apprécie les petits pieds, à Bornéo les dents noires.

— Tu n'as pas répondu à ma question, fit-il avec une certaine impatience.

— Je souhaiterais que son teint ait l'orient rosé des perles d'Ormuz.

Le roi paraissait cette fois en excellente santé. Sa gaîté me rassurait, car s'il venait à disparaître, notre commande ne serait plus valide et il nous faudrait obtenir des lettres patentes de son successeur.

Cependant, les faveurs dont je bénéficiais m'attirèrent la jalousie du chef des astrologues, Mirza Baker, odieux avec tous les étrangers bien en Cour. Il consulta les astres et ses éphémérides pour établir mon signe astral. Après avoir étudié les mouvements de Vénus et de Jupiter, il m'embrouilla de théories fumeuses. Selon la croyance orientale du *kismet*, un égal mélange de bonheurs et de malheurs était destiné à chaque être humain. Cet équilibre n'étant pas respecté chez moi, je devais m'attendre à subir de dures épreuves. En répondant que je n'accordais aucun crédit à ses sornettes, je m'en fis un ennemi mortel.

Une autre rencontre en tête à tête avec Shah Abbas se déroula dans un décor champêtre vallonné proche de la plaine du Kalar-Dach. Elle fut consacrée au temps qui passe. Le souverain semblait fatigué. Sa voix était mélancolique, son ton las. Un aigle noir volait au-dessus de nous qu'il suivit du regard en récitant ces vers :

« L'anxiété du lendemain est inutile. Si ton cœur n'est pas insensé, ne te soucie même pas du présent. Sais-tu ce que vaudront les jours qu'il te reste à vivre? »

Le soir, pour conserver le souvenir de ces moments, je me mis à les relater sur mes carnets de voyage.

Le prince de l'Eau m'annonça le spectacle des danseuses royales, dont Tavernier avait conservé un souvenir inoubliable, en m'invitant à sortir de ma solitude. Les célibataires étaient mal vus dans le pays et traités de « frères du diable ». Curieusement, l'abstinence des plaisirs était perçue en Perse comme un vice contre la nature, voire un péché. L'amour charnel possédait de grandes vertus. S'il était pratiqué avec modération, il chassait les humeurs sombres.

Tout commerce avec une femme en dehors du mariage était certes un péché, mais un « contrat de jouissance », même de quelques heures, devant un juge suffisait à valider l'union. Quand il était trop jeune pour s'établir, Jafer Khan avait loué des femmes qu'il logeait, nourrissait et habillait. Avec l'une d'entre elles, il avait même renouvelé le bail par trois fois.

Je l'écoutais avec méfiance, redoutant de tomber dans ses pièges. J'avais du mal à lui accorder ma confiance sachant que les ministres affectaient une civilité et une franchise engageantes. Mais leurs langues s'accordaient rarement avec le cœur. Après m'avoir excité, voilà qu'il conclut qu'il me faudrait devenir mahométan pour profiter de ces agréables avantages.

Le spectacle eut lieu sous la grande tente aux amples voilures immobiles. La fumée bleue des aromates s'élevait en nuage des torchères. Le feu des lampes à huile se reflétait sur les turbans chamarrés des convives, assis sur des tapis devant leur vaisselle en porcelaine de Chine.

La soirée était mélancolique et grandiose à la fois. Un chanteur récitait les poèmes du *Livre des Rois* d'une voix plaintive. L'ambiance était étrange.

En chemises blanches et chausses de couleurs vives, les pages se déplaçaient pieds nus, se passant les plats de main en main. Les bassins d'argent ou d'or emplis de riz pilau aux viandes épicées circulaient ainsi promptement entre les invités. L'eau était interdite dans les grandes occasions. L'échanson nous versait du vin d'une grande carafe d'or au long goulet. J'y touchai à peine pour ne pas perdre mes esprits, sachant que les Persans, accoutumés à ces débauches, buvaient autant qu'ils le voulaient.

Je surveillai Abbas. Perdu dans ses songes, il semblait gagné par un certain désenchantement. À la fin du souper, il sortit de sa torpeur pour s'adresser à moi :

– *Agha* Chardin, viens à mes côtés, tu jouiras mieux du spectacle.

Agha signifie « seigneur » en Perse où la noblesse n'était pas héréditaire mais due au mérite. Quand il me fit porter du vin de sa coupe, j'eus l'illusion que la soirée était donnée en mon honneur.

La musique partit d'un coup et les vingt-quatre danseuses de la troupe royale surgirent au milieu des convives au son des luths, des épinettes et des tambourins. Les arts profanes exaltant le corps étaient contraires au Texte sacré, mais les Persans aimaient ce qui était défendu. Pour eux, les sons exprimaient les palpitations du cœur.

Les danseuses étaient choisies parmi les plus belles Circassiennes de la mer Noire, de celles qui avaient donné à la Perse ses reines les plus fameuses. Dotées d'une distinction naturelle, d'un teint clair, d'une silhouette déliée et de cheveux blonds, elles auraient contribué à la beauté du sang perse.

Les musiciens s'approchaient d'elles pour les exciter avec des mélopées d'amour qu'elles interprétaient en des mouvements rythmés et lascifs. Chacun de leurs gestes était une caresse qu'elles semblaient destiner à tous et à personne.

Cela faisait des mois que je n'avais pas approché de femme. Je ne voyais pas les ceintures de jaspe, mais les hanches sensuelles et préférais la courbe délicate d'une nuque aux pendants d'oreilles. Les gorges pointant sous les chemises de mousseline m'émouvaient davantage que l'éclat des diamants.

Dessin de l'un des palais de toile du shah de Perse.
Il est entouré de gardes du corps, d'écuyers et de chevaux.

L'une d'elles offrait le type sublime de la beauté orientale avec un visage fin d'un ton d'ivoire blond. Ses tresses défaites donnaient à sa nuque un port de reine. Elle glissait sur la pointe de ses pieds cambrés, en faisant onduler le plissé de sa jupe de soie. Une fois qu'on l'avait remarquée, on ne s'en détachait plus.

Tavernier disait qu'on pouvait envoyer quérir les danseuses pour la débauche et qu'elles avaient causé la perte de bon nombre de jeunes dignitaires. Ceux-ci s'appelaient eux-mêmes « esclaves de l'amour ». Ils se brûlaient le corps à dessein de prouver à leurs maîtresses que la passion les rendait insensibles à la douleur.

Après le spectacle, les Circassiennes s'attardèrent sous la tente. Assises sur des sofas, elles prenaient des poses et recevaient des coupes de fruits de la part des gentilshommes. À la lumière des torches, elles paraissaient plus proches, plus charnelles, plus désirables.

Le prince se glissa vers moi pour me demander celle qui avait ma préférence.

– La meneuse de la troupe, répondis-je la voix émue.

– Tu es un homme de goût! Elle s'appelle Shirine, « la douceur » en farsi. C'est la déesse de l'amour, la plus belle de nos courtisanes, plus connue sous le nom de la Douze Tomans, somme dont il faut s'acquitter pour goûter à ses charmes. Elle est faite pour séduire. Son esprit est vif et cultivé. Sa langue n'est jamais acerbe. Peut-être est-ce un présent que Sa Majesté te destine…

Son insistance me fit rougir. Aucune brise ne venait rafraîchir la nuit. Les convives ne laissaient rien paraître de leur trouble, mais, échauffé par les épices et par le vin, je fus pris toute la soirée dans la tourmente de mes désirs. Rien ne m'effrayait davantage que de perdre la maîtrise de moi-même.

Le prince m'attisa à nouveau pendant que je le raccompagnais vers sa tente à la fin du spectacle.

– Shirine aimerait, j'en suis sûr, faire admirer ses bijoux au joaillier du roi.

Une étoile filante nous surprit avec sa traîne de diamants.

– C'est un présage d'amour, sourit Jafer Khan en levant les yeux. Shirine va se reposer sur les bords de la Caspienne, mais elle sera de retour à Ispahan avant l'automne. Si tu le désires, nous pourrions lui parler de toi…

– C'est le moment où je partirai acheter des diamants aux Indes, fis-je, déçu mais soulagé de ne pas m'engager dans une aventure incertaine, voire fatale.

Il tendit sa main couverte de bagues vers le ciel.

– On ne sait jamais ce que le sort vous réserve! Tout se décide là-haut!

La plus belle des courtisanes

Lorsque je dormais à la belle étoile dans le Mazandaran, la douceur des nuits persanes suscitait en moi une ardeur inconnue. Le climat me portait aux épanchements du cœur. Après des mois d'austérité, il était naturel qu'un échange de regards ait suffi à m'enflammer. Adolescent, j'assouvissais mes désirs sous les toits auprès d'une servante gentille et assez discrète pour que mes parents ignorent mes escapades nocturnes. Elle me comblait sans rien attendre de moi.

Si Montaigne recommandait d'adopter les mœurs et les usages des pays où l'on se trouvait, ces amours n'étaient pas sans danger dans un royaume despotique. En effet, l'une des danseuses royales qui avait été surprise avec son amant dans son palanquin avait été assassinée sur ordre du roi.

À Venise, la fréquentation des honorables courtisanes était une habitude raffinée de l'aristocratie. Il devait en être de même à Ispahan. Pour être aussi attirantes, elles n'étaient pas que belles. On les disait bien éduquées et cultivées. Henri III avait-il eu des remords en cédant aux charmes de la poétesse Veronica Franco qui lui lisait ses œuvres ?

Shirine n'écrivait pas de poèmes, mais son père, scribe à Chiraz, l'avait initiée aux œuvres d'Hafez et de Saadi, qu'elle récitait avec grâce à ses invités. D'après le prince de l'Eau, c'était une courtisane libre et respectée qui n'appartenait à personne. Cependant le commerce de ses charmes n'enlevait rien à ses aspirations spirituelles. Elle parlait même d'accomplir le pèlerinage sacré à La Mecque que les musulmans doivent accomplir au moins une fois dans leur vie.

Nous fûmes de retour à Ispahan au début du mois de septembre. Une fois le rendez-vous pris avec la courtisane, je me fis épiler le corps au hammam avec de la *ruma* qui rendait la peau lisse et douce. J'enfilai une chemise légère bordée d'un galon teint à la poudre de scarabée et lissai mes moustaches pas assez longues pour imiter les Persans, qui les passaient derrière l'oreille.

Je me rendis chez Mademoiselle à l'heure où les derniers rayons du soleil effleuraient la « rivière fécondante ». Elle résidait dans les beaux quartiers où la plupart des dignitaires avaient leur hôtel. Sous le pont des Trente-Trois-Arches, des musiciens donnaient l'aubade aux Ispahani qui prenaient le frais, les pieds dans l'eau. Sa maison était cachée au fond d'une ruelle, sous une végétation exubérante. On apercevait à peine sa façade décorée de fines mosaïques dorées et la tour à vent qui devait rafraîchir agréablement les chambres en cette fin d'été.

« C'est un vrai bijou », me dis-je en attachant mon cheval à la grille entrouverte.

Dans l'allée, je cherchai du regard le labyrinthe de verdure qui, d'après le prince, permettait à ses amants de s'échapper sans être vus.

Une esclave m'ouvrit la porte dès qu'elle m'aperçut derrière les voilages. Elle me rafraîchit les mains à l'eau de rose dans l'antichambre où brûlaient des bougies à l'ambre et des bâtonnets d'encens de l'Arabie Heureuse. Pour les Persans, les parfums ouvrent les éventails du cœur. Des boudoirs décorés de miroirs et d'angelots se devinaient dans la lumière tamisée, derrière des paravents ajourés. Rien n'était choquant, rien n'était de mauvais goût, tout invitait au plaisir, même la coupe d'albâtre où je devrais déposer mon dû. Le sablier posé sur le coffre de nacre m'indiqua que le temps me serait compté.

– Soyez le bienvenu, monsieur le joaillier du roi, murmura Shirine, en glissant vers moi avec ses mules en chagrin.

Elle rayonnait de cette beauté charmeuse qui fascinait les « esclaves de l'amour ». Elle était bien faite à tous égards, très blanche de peau avec des lèvres finement ourlées. Dans ses yeux verts couleur d'aventurine brillait une intelligence subtile. Sa tenue était raffinée et pudique. Un voile court était rejeté vers l'arrière et attaché sous le menton par un tour de petits saphirs. La robe de dessous était en soie avec des manches longues serrées qui soulignaient la finesse de ses poignets. Celle de dessus en dentelle soulignait une silhouette parfaite, juste un peu charnue. Mon émotion était à son comble.

D'un geste discret, je déposai dans la coupe une poignée de perles d'Ormuz d'une plus grande valeur que les tomans demandés, en disant pour me donner une contenance :

– D'après une légende indienne, les perles seraient nées des larmes d'une princesse qui pleurait la mort de son amant au bord de la mer.

– Cette allégorie est aussi belle que nos contes! Venez avec moi… Nous allons faire connaissance.

Nous pénétrâmes dans l'un des boudoirs, meublé voluptueusement de sofas profonds et de lambris en bois de senteur.

– *Agha* Chardin, poursuivit-elle en posant une main sur la mienne, c'est un honneur pour moi de vous recevoir. Aucun joaillier n'a atteint votre renommée à la Cour. Sa Majesté fait admirer les montres sonnantes aux ambassadeurs en disant qu'un grand artiste a traversé une partie du monde pour les déposer à ses pieds.

Au moment où j'essayai de protester, elle enchaîna :

– Lorsque je vous ai aperçu sous la tente royale, je ne m'attendais pas à rencontrer quelqu'un d'aussi jeune.

– Mais… J'aurai vingt-trois ans au mois de novembre.

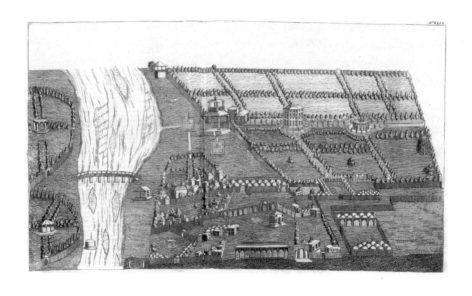

Jardins au bord du fleuve Zenderoud.

À la manière dont elle dit que j'étais d'une fraîcheur juvénile, je compris qu'elle me trouvait à son goût et je repris confiance en moi

En respectant les usages, je me perdis dans des généralités, des périphrases et des compliments ampoulés. J'évoquai la beauté d'Ispahan et la vivacité de ses habitants.

Elle me regarda, étonnée :

– Vous parlez si bien le persan !

– Je regrette de ne pas rester plus longtemps ici pour affiner mes connaissances. Comme vous le savez sans doute, je dois m'embarquer pour Surate au mois de novembre.

– Vous partez déjà alors que nous nous connaissons à peine ?

Ses regards me donnèrent le sentiment qu'il n'y avait personne au monde de plus important que moi.

– Les plus grands orfèvres de Paris m'ont confié leur or pour que j'achète des diamants à Golconde.

Son indifférence aux bijoux me parut étrange. Les courtisanes arboraient les joyaux les plus extravagants pour rehausser leur beauté et souligner la richesse des princes qui les entretenaient. Jafer Khan avait raison : elle n'avait rien d'ordinaire.

Peu après, l'esclave nous apporta un plateau avec une aiguière de vin, des fruits et des pâtisseries aux noms dignes des *Mille et Une Nuits* : petits entonnoirs des belles, châteaux de vent, fanfreluches alanguies de la mère Sâlih, ainsi que des pâtes veloutées au musc, sans doute fourrées de graines aphrodisiaques dont le prince recommandait de se méfier.

La collation fut gaie et enjouée. Shirine me prodigua toutes les faveurs qu'une femme peut accorder à un homme, frôlements, sourires et mots tendres. Avec un petit couteau en argent, elle incisa une grenade qu'elle pressa entre mes lèvres.

– Bois le fruit de l'amour, murmura-t-elle d'une voix exquise.

Les excitants commencèrent à produire leurs effets. Mon cœur battit plus fort. Entre les coussins, nous riions de petits riens et échangions nos premiers baisers. J'oubliai que l'art des courtisanes est de faire comme si, comme si elles étaient désirantes, comme si elles étaient gaies ou mélancoliques.

Quand ses mules glissèrent de ses pieds, une inscription au henné autour de ses chevilles apparut comme un mystère à déchiffrer. Alors que je brûlai de l'aimer, elle faisait durer le plaisir.

« Nous avons bu ce que l'Aimé versa dans notre tasse, sans savoir s'il était du vin pur du Paradis ou s'il était du vin de raisin. »

Ensuite elle prit son luth pour chanter l'une des plus belles histoires d'amour du *Livre des Rois* : celle de Shirine, une princesse arménienne, et de Khosrô, le roi sassanide, qui passèrent leur temps à se chercher sans se trouver. Légère comme une caresse, ardente comme un cri du cœur, sa voix me bouleversa. Je compris pourquoi les religieux refusent aux femmes de chanter pour ne pas exciter les hommes.

Après un dernier accord, elle se pencha vers moi. Libérée du voile, sa chevelure me caressa le cou et le visage. Elle commença à dénouer les brandebourgs de ma chemise. Laissant sa main glisser sur une peau que les soins du hammam avait rendue soyeuse, elle s'attarda là où elle sentit affleurer mon plaisir. Jouant de mon trouble et de la montée du désir, elle me susurra des mots doux. La petite musique du persan me fit perdre la tête.

Dans un élan de passion qu'elle sembla partager, je la saisis par la taille. Alors que je portai la main vers sa gorge, elle me repoussa doucement en disant que sa religion lui interdit de la dévoiler. Une courtisane pudibonde, distante, quelle étrangeté! Le prince m'aurait-il tendu un piège?

Profondément troublé, je craignis d'avoir à avouer une faiblesse quand elle m'enlaça. Le mouvement de ses hanches suscita en moi un long frémissement. Alors que nous glissions lentement vers une alcôve bleu et or, aux couleurs du Paradis, le sablier finit de s'écouler.

La folie du roi

Le monde nous appartenait.

Depuis qu'il était en Perse, Antoine était plus ouvert et plus gai. Les jeteurs de sorts du bazar s'inspiraient de ses traitements aux poudres précieuses et admiraient ses talents divinatoires. Il reprenait confiance en lui. Nos relations étaient meilleures. Nous commencions à sourire de ce qui nous opposait et parlions sans acrimonie de ses pratiques superstitieuses.

Avant de partir avec le roi, nous avions conçu des bijoux pour le Grand Moghol en nous inspirant de miniatures indiennes. En mon absence, les deux artisans français l'avaient aidé à réaliser une collection de bracelets qui se portaient au bras, de longs colliers de perles baroques et de grosses bagues serties d'émeraudes et de rubis.

– Le diamant purifie le cœur et l'esprit, me dit-il un jour. Il facilite les élans spirituels, vous rapproche de la lumière. Il est lumière.

Cette fois, au lieu de me moquer de lui, je souris en craignant qu'il connaisse bien des déconvenues.

Nous comptions sur François Bernier, que j'avais connu chez Marguerite de La Sablière, pour être introduits au palais d'Aurangzeb dont il avait été le médecin. Il vivait maintenant à Surate où il écrivait un mémoire sur le commerce à la demande de Colbert.

Occupé aux derniers préparatifs, je vérifiai les bijoux, les enveloppai de soie puis les rangeai dans leurs étuis de cuir pour qu'ils ne souffrent pas du voyage, en rêvant à Shirine. J'aimais les moments où elle mêlait ses caresses aux poèmes d'Hafez et de Saadi qu'elle appelait ses frères de Chiraz, nés comme elle au bord du fleuve Roknâbad dont elle prétendait que les pierres avaient la propriété de la cornaline et du corail.

Le turc était réservé aux armées et à la Cour, parce que, selon elle, on n'y parlait pas avec le cœur. Elle me murmurait des poèmes où les nuées déversaient des pluies de perles sur la terre, où le vent répandait de l'ambre gris sur les orangers… Pleines de soupirs et de flammes, ces œuvres cachaient des pensées plus profondes que je supposais accessibles aux seuls initiés.

Je ne me résolvais pas à m'en éloigner. Plus notre séparation approchait, plus je maudissais les diamants qui m'arrachaient à elle.

Un soir, en rentrant du Bazar, Antoine fit irruption dans mon logis, l'air bouleversé. Un drame aurait, selon lui, bouleversé la Cour à Damghan.

— On a appris par un *express* que Shah Abbas a méprisé les lois de l'hospitalité et maltraité l'ambassadeur du Grand Moghol venu lui annoncer que son maître voulait reprendre la forteresse de Kandahar, objet de conflit entre les deux pays.

— « Mieux vaut avoir vu une fois qu'entendu dire cent fois. » Connais-tu ce proverbe persan ? Tu sais que les rumeurs ne m'intéressent pas !

La curiosité me fit tout de même demander des éclaircissements.

— L'ambassadeur a été maltraité. On lui a tenu longtemps la tête contre terre, on l'a emmené se promener dans un bourbier et Abbas a traité son maître de roi des nègres, de parricide et autres gracieusetés. Enfin, le Premier ministre lui a refusé les passeports pour sortir de Perse les dizaines de pur-sang qu'il destinait à Aurangzeb, sous prétexte qu'ils n'étaient pas des présents royaux.

Cette information m'inquiéta.

– Si ce que tu racontes est vrai, cela pourrait déclencher la guerre.

– Et encore, tu n'as pas entendu la suite… Figure-toi que, pour se venger, l'ambassadeur a ordonné de mener les chevaux sur la place du village. Là, les soldats leur ont tranché les jarrets à coups de sabre devant les paysans affolés. En entendant le récit de ce massacre, le roi a brandi son épée en hurlant comme s'il avait perdu la raison.

– Refuses-tu toujours de voir que l'ombre aperçue dans mon diamant annonçait que le roi n'allait pas bien ?

Sa question me fit hocher la tête.

– Arrête tes sornettes ! Tes prédictions ont toujours été contredites par les faits. Dans une semaine, nous serons déjà loin.

Peu avant notre départ, nous fûmes réveillés en pleine nuit par une musique martiale et des salves de canon. Toute la mission se retrouva dans le réfectoire sans comprendre l'origine de ce vacarme. Le père Raphaël redoutait une attaque en l'absence du roi. Pour le rassurer, je chevauchai vers le palais, précédé par mon valet Benoît qui m'éclairait de sa torche. La place Royale était calme, éclairée par des lumières blafardes, mais encombrée d'équipages, ce qui était inhabituel à cette heure de la nuit. Un groupe de dignitaires était en grande conversation avec Mirza Baker, le chef des astrologues dont je me détournai, Hisham m'ayant persuadé qu'un joaillier pourrait être victime d'un magicien assoiffé d'or. Je m'apprêtais à retourner à la mission quand Jafer Khan sortit par la porte Ali Quapu. Je courus vers lui, surpris par sa mine défaite et ses yeux rougis de larmes.

– Le souverain devait vivre encore de longues années, avoua-t-il entre deux sanglots, mais, pour l'amitié qu'il te portait, il les a attachées à celles que tu avais à vivre. Il savoure maintenant du vin musqué dans le jardin des délices entouré de houris aux sourires éternels, les épouses du Paradis.

Le roi était mort le 25 septembre aux premières lueurs de l'aube. Il avait sombré dans la folie à la suite du massacre des chevaux et avait brisé la coupe où son médecin avait versé une potion calmante. Ses dernières paroles avaient semé l'effroi dans son entourage.

— Je sais que vous voulez m'empoisonner, mais vous boirez votre part de poison, puisque je vous laisse un fils qui vous mangera le cœur.

Abbas était mort sans déclarer le nom de son successeur par écrit ou même de vive voix. Il n'y avait pas d'héritier naturel en Perse. Les fils de sang royal ignoraient celui qui monterait sur le trône et ne l'apprenaient que le sceptre à la main.

Après avoir entendu les menaces du défunt, la plupart des ministres refusaient d'élire Séfy, le fils aîné âgé de dix-neuf ans, un prince capricieux et ignorant qui avait passé sa jeunesse à tirer à l'arc ou à se promener sur un âne dans les jardins du harem. Ils lui préféraient le jeune Hamzeh Mirza, âgé de huit ans, dont la noblesse et la douceur laissaient présager qu'il serait un grand roi.

L'*athémat-doulet*, « la confiance de l'empire », démontra que leur choix n'était pas raisonnable et que, s'ils voulaient élire un enfant, c'était pour gouverner à sa place. Puisque l'aîné était en état de recevoir la couronne, il fallait le tirer du palais de la Grandeur pour le porter sur le trône. Les trois mille eunuques, ses partisans, pourraient fomenter une révolte au sérail s'il ne régnait pas.

Sa réputation de probité, son âge et son expérience plaidèrent en faveur du Premier ministre qui imposa ses désirs, avec l'idée de faire ce qu'il reprochait aux autres. Il remit une lettre dans une bourse de soie cachetée de son sceau au général des mousquetaires qui rentra au grand galop à Ispahan. Eunuque blanc, il ne pouvait pénétrer au sérail comme les eunuques noirs. Il fit remettre son précieux document à la *Duchesse légitime*, mère de Séfy, qui hurla en croyant que son époux voulait faire assassiner son fils. Quand elle découvrit la vérité, elle se prosterna devant le prince, qui déchira sa chemise en signe de deuil.

Mirza Baker, le chef des astrologues, l'astrolabe en main, avait choisi l'heure propice à un règne heureux pour le souverain et le royaume. Jafer Khan qui avait assisté au couronnement se proposa de me le raconter plus tard. Avant de se retirer, il eut un geste fataliste.

– Tu devrais attendre la première apparition publique du roi. Cet événement annonce peut-être une nouvelle ère pour la Perse.

Une fois seul, je m'effondrai en pleurant sur la margelle du canal où les Ispahani se promenaient pendant la journée. Les révélations d'Antoine se révélant justes, il allait s'enorgueillir de ses prémonitions. Pour moi, ce malheur était une punition du ciel. Depuis que je vivais dans ce pays, le doute m'avait gagné, je priais moins souvent et m'abandonnais aux plaisirs.

Les grâces accordées par Shah Abbas demeuraient sans effet si elles n'étaient pas confirmées par son successeur. Shah Abbas protégeait les étrangers en disant que les Persans avaient de l'humanité et de l'indulgence pour les autres religions, même s'ils les tenaient pour fausses et abominables. Si Séfy était sous la coupe d'un Premier ministre hostile aux infidèles, pourrais-je renouer avec lui les affaires que j'avais si heureusement négociées avec son père ?

Le soleil éclairait la Mosquée royale lorsque les fanfares résonnèrent pour saluer la sortie de Shah Séfy. Les Ispahani découvraient leur nouveau monarque dont les apparences n'étaient point désagréables. Il montait un cheval aux étriers d'or. Sa veste de brocart à fleurs était attachée sur le côté par des brides en rubis. Un gilet bordé de zibeline dégageait sa taille. Une rose de diamants étincelait à l'aigrette de son turban. Il n'avait pas les yeux clairs de son père. Sa barbe, encore au premier coton, était teinte en noir parce que les poils de cette couleur étaient les plus estimés en Perse.

Face à la foule en liesse qui accourait sur la place, il ne laissait rien paraître de ses émotions. La veille, il n'était pas plus respecté qu'un esclave, maintenant, il était l'objet de tous les regards. Son teint pâle était celui d'un homme qui ignore tout de la vie. Semblable à une plaque de cire vierge où nul trait n'était inscrit qui puisse présager de l'avenir.

À la nuit tombée, les arcades de la place furent éclairées par des centaines de lanternes de terre et des torchères accrochées aux portes des maisons. La ville faisait *ciragan*. Les feux d'artifice lançaient leur pluie d'étoiles vers le ciel pour saluer la montée sur le trône d'un souverain qui suscitait bien des interrogations.

Le temps des incertitudes

La mort du prince magnanime qui avait redonné à la Perse son ancienne splendeur fut considérée comme un châtiment du ciel sur l'Empire qu'il avait si sagement gouverné. Les chrétiens le pleuraient aussi, car ils redoutaient que les fanatiques ne profitent du changement de règne pour susciter des troubles et des brigandages dont nous serions les premières victimes. Les Arméniens de Djoulfa avaient même fermé leurs entrepôts.

Je ne pouvais plus visiter les gentilshommes à qui j'avais l'habitude de présenter mes civilités, ni approcher le *nazir* dont j'étais sans nouvelles. Pas plus que je ne pouvais rencontrer Shirine dans l'état misérable qui était le mien.

Pendant quelques jours, on ignora ce qui se passait, puis les langues commencèrent à se délier. On disait que Shah Séfy n'obéissait qu'à ses passions et aux caprices de ses femmes. L'une d'elles voulait-elle goûter aux charmes de la campagne, toutes se hissaient dans leurs palanquins pour s'échapper du palais où elles vivaient en recluses. Le roi avait confirmé les grâces accordées par son père aux ambassadeurs, mais les avait prononcées d'une voix monocorde comme une poupée mécanique dont on aurait remonté les ressorts.

Quand tout rentra dans l'ordre, Antoine partit pour Djoulfa prendre conseil auprès du prévôt des marchands, moi chez le prince de l'Eau. Persuadé que les marchands chrétiens finiraient par être interdits de commerce dans le pays, Agha Piri nous recommandait de partir pour les Indes en nous contentant de l'or déjà reçu.

Or, notre avenir reposait sur la commande en souffrance. Nous en avions besoin. Si j'y renonçais, mon père finirait par décrocher l'enseigne de mon grand-père. Ce drame annoncerait la fin de la Maison Chardin. Mieux valait mentir à mon associé que de baisser la garde.

– Le prince de l'Eau m'a conseillé d'attendre en me rappelant un adage du pays : « La patience est amère, mais ses fruits sont doux. »

En réalité, j'avais trouvé le prince dans un état de prostration alarmant, effondré sur le sofa de son palais de marbre. Les compagnons de débauche du roi lui enviaient sa charge et lui tendaient des embûches. L'eau d'une fontaine coulait pour étouffer les conversations. Il avait perdu de sa superbe et noyait son désarroi dans le vin de Chiraz. Entre deux coupes, je lui demandai s'il pensait que notre commande serait honorée un jour.

– Ne te berce pas d'illusions, répondit-il dans un grand rire sarcastique. Sa Majesté dépense sans compter, mais ne gaspillera pas une once d'or pour des bijoux dessinés par son père qui le détestait et l'avait enfermé dans un coin du sérail. Quant au *nazir,* il vit à ses pieds, à ses ordres comme un chien.

– Que me conseillez-vous, seigneur ?

– De songer plutôt à l'amour !

Antoine, lui, ne se sentait plus en sûreté à Ispahan et ne savait plus à quel talisman se vouer pour calmer son anxiété. Les femmes ne l'intéressaient pas. Il ne cherchait pas à faire fortune. Son seul désir était de se rendre au pays des diamants, où il espérait trouver l'harmonie et la paix de l'âme.

Je me mis à réfléchir. Puisqu'il avait la confiance des Lescot, pourquoi ne pas lui accorder la mienne, en lui demandant de me précéder aux Indes ? Si les marchands arméniens se rendaient à Surate, ils pourraient l'emmener et l'accoutumer aux usages du pays. Cela nous ferait gagner du temps. J'avais peur d'un refus. Mais quand je lui proposai de commencer la tournée des mines de diamants sans moi, il l'accepta comme un honneur.

Début novembre, je le conduisis aux portes de la ville où la caravane s'assemblait en lui prodiguant mes conseils et en lui remettant une lettre de recommandation pour François Bernier.

Après son départ, j'éprouvai un grand vide. J'avais perdu un compagnon, avec qui j'avais créé des liens amicaux. En voyage, on se sent plus fort à deux pour affronter les difficultés et pour parler de tout et de rien. Ma vie n'était pas désagréable, mais je n'avais d'emprise sur rien.

Je continuais à apprendre le persan avec Hisham. Pour passer le temps, je relus également les petites chroniques que j'avais griffonnées après mes rencontres avec le roi, comme l'on consulte un recueil de souvenirs. Elles me plaisaient bien. Grâce à elles, je revivais les bonheurs de l'été, sans savoir si elles avaient de l'intérêt. Quand je demandai à mon professeur de les relire, il refusa.

– Un vrai Persan ne se soucie pas du passé. D'ailleurs, je dois t'annoncer que je vais abandonner mon enseignement à la mosquée et prendre une boutique au Bazar.

Ces changements me surprirent.

– Tu vas me manquer, fis-je sans commenter davantage.

Il me regarda droit dans les yeux.

– Ne t'inquiète pas, nous continuerons nos leçons de farsi, si tu le souhaites.

– Peut-être connais-tu quelqu'un qui pourrait les réviser ?

Il demeura pensif un instant.

– J'ai une idée... Nous pourrions en parler au seigneur Mirza Chéfy. Il n'est pas historien mais il connaît notre histoire mieux que personne. Shah Abbas lui a remis la *calaat,* le vêtement d'honneur, en remerciement d'un manuscrit, calligraphié de sa main. Autrefois, il était considéré comme l'un des plus grands érudits du royaume... Il a été chassé de la Cour après avoir eu le courage de s'opposer au souverain qui, un soir d'ivresse, voulait faire couper la barbe sacrée d'un vieil imam qui refusait de partager ses libations.

Ce crime de lèse-majesté lui avait valu d'être condamné à rester enfermé dans sa demeure comme dans une prison. On lui avait enlevé ses femmes, ses enfants et sa fortune. De maigres revenus lui avaient été alloués pour écrire l'histoire des rois safavides qui n'avaient pas tous eu la grandeur d'Abbas le Conquérant.

— Je connais bien le seigneur Mirza Chéfy, reprit Hisham, un voile de tristesse dans la voix. Cette hagiographie est une souffrance, une insulte à son honneur. Aucune plainte ne sort jamais de ses lèvres. Il est autorisé à recevoir des visiteurs, mais rares sont ceux qui ont franchi le seuil de sa demeure par peur de déplaire au souverain. À la Cour on a oublié jusqu'à son existence.

Il me parut inopportun d'approcher un dignitaire qui avait été chassé de la Cour alors que je voulais y être à nouveau introduit. Mais mon mollah chercha à me convaincre.

— C'est un sage, détaché des biens terrestres, un chercheur de Vérité, qui devine avec le cœur ce que bien des érudits ne comprennent pas avec l'intelligence. Il te ferait du bien en ces temps d'incertitude.

Après bien des hésitations, la réputation de ce lettré me fit rechercher sa connaissance et nous nous rendîmes chez lui rue des Mûriers. Là, il fallut décliner notre identité pour que les gardes nous ouvrent la grille.

— C'est une grande désolation, soupira mon ami en levant les yeux vers les micocouliers, pour ceux qui ont connu les conversations à l'ombre de ces beaux arbres.

Le parc était envahi par les mauvaises herbes et l'eau des fontaines ne coulait plus comme si Allah lui refusait ses bienfaits.

Un vieil esclave nous accueillit et nous mena vers le salon de thé, où la couleur fanée des sofas se ressentait de la disgrâce du maître, même si les murs étaient égayés par des poèmes calligraphiés. L'atmosphère avait quelque chose de sacré.

Lorsque Mirza Chéfy sortit de ses appartements, vêtu d'une *cabaye* mordorée, un chapelet de jade à la main, je fus impressionné par la noblesse qui émanait de son visage. Il devait avoir une cinquantaine d'années. Il était de haute taille, plutôt mince avec un regard gris, très doux. L'ensemble de sa personne imposait le respect.

Répondant à son salut par une inclination polie, je m'assis sur les talons, à son invitation. C'est Hisham qui fit les présentations.

– Seigneur, j'ai pris la liberté de vous conduire Jean Chardin, un joaillier français qui s'intéresse à notre histoire et parle parfaitement le persan.

– Que Dieu bénisse l'ami qui a accompli un si long chemin pour venir jusqu'à nous. S'il veut découvrir notre royaume, tous les Persans s'en réjouiront.

Sa voix chaleureuse me mit à l'aise. Hisham m'ayant dit qu'il serait bien de le distraire, je lui racontai nos aventures et mon plaisir à découvrir la Perse. Après m'avoir écouté avec attention, Mirza Chéfy me demanda si les épreuves du voyage avaient changé le regard que je portais sur le monde et sur moi-même. J'ignorais alors qu'il s'agissait d'une pensée soufie. Comme j'avais du mal à lui répondre, Hisham vint à mon secours en abordant l'objet de notre visite.

– Mon élève, dit-il, est non seulement joaillier, mais il aime écrire. Il souhaitait que je relise ses relations de voyage, j'ai pensé qu'il vous plairait d'en parler avec lui. Ses ambitions sont nobles. Il voudrait dévoiler au royaume de France la grandeur de la civilisation perse.

– Ce serait un honneur pour nous, dit Mirza Chéfy en se tournant vers moi. Tes souvenirs pourraient être plus précieux que des diamants !

– Ce serait plutôt, me semble-t-il, de petites pierres brutes…

Nos échanges se poursuivirent sur ce qu'il fallait arracher à l'oubli du temps et comment représenter le passé sans le déformer. À la nuit tombée, nous étions encore là. Lorsque l'esclave vint allumer les lanternes de cuivre, Hisham me fit signe qu'il était temps de prendre congé. Je quittai à regret la chaleur du salon de thé.

– Reviens quand tu le souhaites, me dit Mirza Chéfy en nous raccompagnant jusqu'à la porte. Tu apportes de la fraîcheur à mes yeux. La prochaine fois, je te montrerai ma bibliothèque. Tu me parleras de tes écrits et je serai heureux de t'entendre.

Avant de rentrer à la mission, je serrai Hisham contre moi en le remerciant de m'avoir conduit chez le seigneur.

– Je me réjouis à l'avance de tout ce qu'il va m'apprendre.

Je sentais que notre rencontre n'avait rien d'anodin. Un lien s'était créé entre nous, une sorte d'attachement, une reconnaissance intuitive. J'étais soudain plus léger, plus heureux. En me quittant, Hisham me réconforta :

– Un sage vous aide à accéder à la conscience de votre dignité et à devenir ce que vous êtes sans le savoir.

Les lumières du sage

1667

Les mois s'écoulèrent. Le pourpre des roses et le rouge des grenades éclataient dans les jardins où les Ispahani bavardaient. Les Persans venaient
de célébrer Norouz. La nouvelle année commençait à l'équinoxe du
printemps, au moment où le Soleil entre dans le signe du Bélier. Cette
tradition était héritée du zoroastrisme, qui fut longtemps la religion officielle du pays. Elle donnait lieu à de multiples réjouissances populaires.
Les chants retentissent dans les maisons. On s'habille de neuf. Chacun
s'envoie des présents, surtout des œufs dorés ou peints de miniature.
L'œuf marque pour les Persans l'origine de toute chose.

Je ne participais pas à la joie ambiante. Mon humeur était plutôt
morose. Le silence du *nazir* se prolongeait, celui d'Antoine aussi. Son
vaisseau avait accosté en rade de Souali. C'était la seule chose que je savais.

Ce qui se passait en France m'inquiétait davantage encore. Mes
parents ne souhaitaient pas m'alarmer, mais je décelai beaucoup de
tristesse dans leurs lettres. Les persécutions contre les protestants s'in-
tensifiaient et suscitaient un sentiment d'insécurité pour les personnes
et pour leurs biens. Fortement récompensées, les dénonciations créaient
un climat délétère dans les corporations. Sous de faux prétextes, mon
père avait renvoyé Louis, notre émailleur, et Henri, notre horloger,

parce qu'ils étaient catholiques. Ces excellents artisans nous avaient toujours été fidèles, ils avaient contribué à l'essor de notre maison et faisaient partie de la famille. En quittant l'atelier, ils pleuraient sans comprendre ce qui leur arrivait. Comme nous en aurions besoin pour mettre en œuvre les bijoux persans, je suppliai mon père de les faire revenir.

Le temps pressait. Il m'était impossible de m'attarder en Perse et je devais prendre la première caravane pour le golfe d'Ormuz, quoi qu'il arrive. Aussi fis-je une dernière tentative auprès du prince de l'Eau avec l'espoir qu'il m'introduise chez le *nazir* pour récupérer notre commande.

Il me répondit sur un ton désabusé :

– Je ne parviens pas à l'approcher. Si j'étais toi, je m'adresserais à Shirine... On raconte qu'elle serait proche de...

Je le coupai pour ne pas entendre ce que je craignais. Ce qui n'était que des moments de plaisir était devenu à la suite de la mort du roi un amour malheureux. Éperdu, j'épiais les signes de connivence et interprétais ses gestes comme des aveux. C'est ça la passion, ne jamais renoncer, traduire les ambiguïtés dans le sens de nos désirs pour garder espoir. Mon ardeur ne faiblissait pas et sa réserve ne faisait qu'aviver ma flamme. Parfois, elle se contentait de simples caresses, alors que j'avais déposé des perles dans sa coupe. Il m'était trop douloureux de partager cette femme exquise destinée aux grands de ce monde.

Au cours de la saison froide, elle s'était mise à voyager et je me morfondais en me demandant quel dignitaire l'emmenait dans des régions où l'hiver était plus doux. Au retour, elle prétendit s'être recueillie à Mashad, la ville sainte, sur la tombe de Reza, le huitième imam, assassiné par les califes sunnites. Je ne pouvais la croire. Les courtisanes ne faisaient pas de pèlerinages et ne songeaient pas au repentir.

Comment lui parler sans la blesser ou lui donner l'impression que je me servais d'elle ? Après bien des hésitations, je me rendis sur les bords du Zenderoud, la gorge serrée.

L'esclave qui m'ouvrit n'était plus la même. L'atmosphère avait changé. Il n'y avait plus de bougies de senteur dans les boudoirs, plus d'odeur de thé à la cardamome s'échappant du samovar. Comme à son habitude, Shirine me rejoignit dans l'antichambre, mais, cette fois, elle avait les épaules drapées dans un châle de Kirmân de couleur brune, le visage à peine poudré.

– En ta présence, mon âme est joyeuse! s'écria-t-elle, toujours aussi accueillante.

Au lieu de nous allonger contre les coussins, elle m'entraîna sur le tapis de soie où nous nous fîmes face, assis en tailleur. Quand elle m'enleva mon turban et me rafraîchit le visage d'eau de rose, j'oubliai les motifs de ma venue, plus épris que jamais. Elle prit son luth et joua quelques notes en me souriant mais, au lieu de chanter l'une de ses ballades favorites, elle me dit :

– Je connais les raisons de ta venue. Si tu es patient, avec l'aide de Dieu, les choses s'arrangeront.

Le chrysanthème qui était sur le coffre laissa tomber quelques pétales. Devinant qu'elle était intervenue, j'eus envie de la serrer contre moi pour la remercier. Lorsque j'avançai mon visage, elle posa sa main sur mes lèvres en me disant d'un ton que je ne lui connaissais pas :

– Va maintenant. C'est bientôt l'heure de la prière.

Si je la voyais quand elle le voulait, Mirza Chéfy me recevait quand je le désirais. Il était devenu mon port d'attache. Sa générosité à m'offrir son savoir était émouvante. Il disait que les marchands étaient les passeurs du monde.

Je n'oublierai jamais le jour ensoleillé où il me fit découvrir sa bibliothèque. Quand il fit glisser les tentures, j'eus sous les yeux toute la mémoire de la Perse. Les manuscrits n'étaient pas rangés comme chez nous mais empilés dans des niches, sans distinction d'auteurs ou de matières. Lorsqu'ils m'apparurent dans le flamboiement des couleurs, l'éclat des reliures et l'or des gravures, mon regard émerveillé glissa d'un exemplaire du Coran à des épopées romanesques, des traités de morale à des encyclopédies scientifiques, sans parler des recueils de poésies. À mon grand étonnement, il n'y avait pas le moindre livre d'histoire. J'en demandai la raison.

– Si la science était suspendue aux étoiles, répondit-il sur un ton malicieux, il y aurait des Persans pour l'y chercher, mais nous avons confié notre passé aux poètes qui l'ont magnifié sans se soucier de la véracité ou de la chronologie des événements.

Il enfila des gants blancs pour ne pas abîmer le *Livre des Rois* qu'il avait choisi et le posa sur un porte-livre. Nous nous assîmes sur le tapis, comme un maître avec son disciple.

– Voilà ce que les Persans appellent leur histoire, dit-il sans y croire.

– J'ai entendu des passages de cette œuvre lors d'une soirée royale, mais je dois avouer que je n'en sais pas grand-chose.

– Dans cette épopée écrite en vers, le mahométan Firdoussi célèbre les héros de la Perse avant la conquête des Arabes. Rustam ou Khosrô incarnent les vertus de la Perse comme Ulysse et Achille incarnent celles de la Grèce antique.

– Serait-ce un récit édifiant ?

– Tu vois juste ! L'auteur y mêle ses pensées morales et philosophiques, pour nous inspirer de la grandeur.

En l'écoutant, j'admirais la calligraphie sans oser demander si c'était la sienne. La queue des lettres était si fine qu'on la distinguait à peine, d'autres tournées aussi rondes qu'au compas. Toutes semblaient se fondre dans le papier de Samarkand, blanc et lissé par des billes d'agate. Jamais je n'avais vu une écriture plus élégante, plus profonde.

Comme s'il avait deviné mes pensées, il se contenta d'un commentaire :

– Nous demeurons attachés aux usages anciens, même si nous reconnaissons les avantages de l'imprimerie.

– Ces manuscrits sont les chefs-d'œuvre de votre art !

Le silence tomba sur la bibliothèque. Les Persans apprécient ces moments qui nous mettent mal à l'aise. Par chance, une question me vint alors à l'esprit.

– Pourquoi ne concevez-vous pas vous-même l'histoire de la Perse ?

– J'aurais bien aimé, mais la Fortune en a décidé autrement.

Sans s'épancher sur lui-même, il revint à mes préoccupations.

– Ne devions-nous pas parler de tes écrits ?

– Je n'ai pas osé vous les apporter. Mes brouillons sont trop disparates. J'ai décrit facilement ce que j'ai vécu, mais avec plus de mal ce que l'on m'a raconté.

– Tu devrais essayer d'en faire la relation ! En dominant ses peurs, on trouve toujours de la force en soi.

Ses conseils portèrent leurs fruits. Le soir même, je repris mon calame à la lumière des bougies. Enfermé dans mon logis à la mission pendant plusieurs jours, je tentais de recréer la mort du roi pour laquelle j'avais recueilli des témoignages.

Quand je lui en fis lecture, Mirza Chéfy m'écouta avec attention.

– Je vois la scène avec tes yeux ! s'écria-t-il à la fin, lui d'ordinaire si réservé. Comment as-tu procédé ?

– J'ai comparé les différents récits que j'ai pu recueillir, en les critiquant, pour faire revivre cet événement au plus juste.

– Il n'y a aucun doute ! Tu es un vrai historien…

Son compliment me fit rougir.

– J'aurais aimé poursuivre cette relation, mais, comme vous le savez, je vais devoir rejoindre mon associé aux Indes pour acheter des diamants.

Son regard sembla s'assombrir.

– « Puisque les diamants ne sont que de simples cailloux, pourquoi les recherches-tu ? » demande la huppe, l'oiseau de la sagesse, à la perdrix, dans *Le Langage des oiseaux* du poète Attar.

Les diamants de Golconde

Enfin une lettre d'Antoine! Son voyage ne s'était pas déroulé aussi bien qu'il l'espérait. Une partie de la caravane s'était perdue dans le désert de Caramanie avant d'arriver dans le golfe d'Ormuz. Il n'y coulait que des eaux saumâtres si corrompues qu'elles donnaient des vers. Les marchands étaient restés plusieurs jours sans boire. Ceux qui s'étaient désaltérés avec de l'eau-de-vie étaient tombés malades.

Pendant la traversée de la mer d'Arabie, le mauvais temps avait été si terrible que des passagers étaient morts du mal de mer. Comble de malheur, mon associé n'avait pu se rendre chez le Grand Moghol. Le mahométan Aurangzeb ne collectionnait plus les joyaux mais les chapelets. Il passait ses journées à copier des versets du Coran, tombant peu à peu dans le fanatisme et persécutant les hindous. Francois Bernier, qui connaissait tous les hauts personnages de la région, avait accompagné Antoine chez le nabab, enrichi par les droits de douane sur l'or et l'argent. Il avait acheté nos bijoux, mais sans grand profit.

Après la mousson, Antoine avait gagné le Sud avec l'une des puissantes caravanes des marchands banjaras. La nuit, il roulait dans un « carrosse » en bois tiré par des zébus. Le jour, il s'asseyait à l'ombre d'un banian aux racines aériennes, un bol de lait caillé à la main, et comblait son ennui en regardant jouer les enfants. Par la suite, il voyagea avec un groupe qui prétendait être des Parsis, descendants des Zoroastriens qui s'étaient enfuis aux Indes pour pratiquer leur culte librement après l'arabisation de la Perse. Ils révéraient le feu qui représentait pour eux la lumière de Dieu et symbolisait le divin caché en chaque homme.

Je savais seulement que cette philosophie religieuse reposait sur la morale et trois principes : les Bonnes Pensées, les Bonnes Paroles et les Bonnes Actions. Ces nouveaux amis d'Antoine m'intriguaient. Ils n'étaient ni agriculteurs ni courtiers dans les comptoirs occidentaux comme la plupart des Parsis, mais se présentaient comme des savants à la recherche du secret de la fabrication des pierres précieuses, sous la houlette d'une grande prêtresse, nommée Hutuosa, dont Antoine semblait épris. Sans grande beauté, cette femme charmait les hommes par ses airs mystérieux.

Il chercha à s'en approcher en se liant d'amitié avec l'un de ses disciples, un certain Darab, auprès duquel il se mit en valeur en dévoilant ses connaissances sur l'alchimiste Nicolas Flamel. La fortune qu'il avait amassé avec sa femme prouvait qu'il avait sans doute trouvé le secret de la pierre philosophale, réussi à transmuer le plomb en or et même créé des diamants.

Son savoir fit admettre mon associé dans leur cercle.

Après un long périple, les voyageurs parvinrent sans encombre à Raolconda, là où les pierres étaient de la plus belle eau. Antoine éprouva un sentiment de plénitude. Tout paraissait harmonieux comme si le ciel préservait ce coin de l'agitation du monde.

Les mines s'étendaient au pied des montagnes dans un paysage sablonneux de rochers et de broussailles, semblable à celui de la forêt de Fontainebleau. Les mineurs vivaient dans de modestes huttes en branches de cocotier, tandis que les marchands dormaient sur des literies de soie, éventés par des esclaves dans un caravansérail abrité sous les eucalyptus.

Costume traditionnel des femmes parsies aux Indes.

Cependant, il régnait là une étrange atmosphère. Marchands et courtiers se livraient une guerre féroce et se croisaient dans la cour en s'ignorant. Personne ne put ou ne voulut dire à mon associé où trouver Majhal, le maître des mineurs, pour qui nous avions des lettres de recommandation. Par chance, un Anglais de l'Eastern Company of India avec qui il buvait de l'arak lui indiqua que le marchand avait loué une mine à quelques lieues du village en direction du couchant.

L'ouverture du chantier permit à Antoine, accompagné de son interprète, d'assister à l'une de ces cérémonies magiques qu'il affectionnait. Il vit des brahmanes marquer d'une poudre de safran le front des chercheurs de diamants qui se prosternaient devant une divinité de pierre. Ils priaient ainsi les esprits de ne point prendre ombrage des désordres engendrés par leurs fouilles.

Antoine avait confiance en Majhal, car il appartenait à la caste des Banians qui ne supportaient pas que l'on fasse du mal à une mouche! Celui-ci se tenait debout sur une butte à l'ombre d'un palétuvier. À ses côtés, des maîtres armés de fouet surveillaient les esclaves vêtus d'un simple pagne qui travaillaient sous une chaleur humide et suffocante. Avec des crochets, ils extrayaient la terre entre les rochers, qu'ils étaient parfois obligés de casser pour pénétrer jusqu'à six mètres de profondeur sans étonner le diamant et y créer des glaces. Ils ne recevaient que trois pagodes d'or à l'année, à peine de quoi subvenir à leurs besoins et encore s'ils avaient du métier.

Plus loin, femmes et enfants lavaient la terre avec l'eau de la rivière souterraine, la laissaient sécher au soleil et la criblaient ensuite dans de grands tamis où ils cherchaient fébrilement « un fragment d'éternité ». Un peu de nourriture ou une pièce de toile récompensaient leurs découvertes. Si l'un d'eux avalait une pierre, la cachait sous son pagne ou sous la paupière, il était fouetté à mort pour servir d'exemple.

Plongé dans cet enfer de misère, Antoine commença à souffrir de maux de tête et de crises d'anxiété. La peur de ne pas trouver de beaux diamants pour les orfèvres lui serrait la gorge. Il commençait à étouffer.

En fin de journée il se sentit mieux car Majhal le reçut aimablement. S'il ne détenait aucune belle pierre, il lui promit de visiter le roi de Golconde, à qui Tavernier avait acheté le fameux Hortensia.

Dès lors Antoine retourna à Raolconda, confiant en sa bonne étoile. Ses relations avec Darab le firent admettre à un *jashan*, une cérémonie d'action de grâces. Ce jour-là, il fut plus encore impressionné par la grande prêtresse, assise sur une natte devant l'urne où brûlait le feu sacré, vénéré par les Parsis comme le symbole de la pureté de Dieu. Vêtue de blanc, elle portait un masque sur le visage afin de ne pas le souiller en consacrant le lait, les fruits et le vin que les Parsis étaient autorisés à boire parce qu'il était le fruit de la terre. Ses gestes étaient lents et délicats.

À la fin du rituel, Darab donna espoir à mon associé de rencontres plus intimes.

– Le jour où notre mère jugera de la pureté de ton cœur, tu pourras participer à nos recherches sur les pierres précieuses.

Plusieurs semaines plus tard, le maître mineur se présenta un matin au caravansérail de Raolconda dans le logis d'Antoine. Après l'échange de civilités, il dénoua ses ceintures et enleva son turban où étaient cachés une soixantaine de diamants. Il les étala sur le tapis d'une table basse. Leur eau était claire mais leur taille médiocre. Aucun ne dépassait les dix carats ou n'était de couleur. Antoine éprouva alors une sorte d'étourdissement.

– C'est tout ce dont je dispose, dit Majhal, devinant sa déception.

Il lui expliqua que le roi de Golconde s'était replié à l'intérieur de sa forteresse pour résister aux éventuelles attaques du Grand Moghol. Il ne recevait personne, gardait l'eau de ses citernes et le grain de ses silos pour tenir un siège. Et comptait échanger ses joyaux contre des armes ou pour payer ses soldats.

Faisant contre mauvaise fortune bon cœur, mon associé conserva ceux qui lui paraissaient les plus beaux pour les observer à l'œilleton pendant quelques jours, selon l'usage. Avant de les choisir il interrogea son talisman, son diamant de douze carats qui était son étoile du Berger. Mais il eut beau multiplier les séances de divination, il demeura sans éclat, muet comme un morceau de verre. Il en déduisit alors que la chance l'avait abandonné et renonça à visiter les autres mines, celles de Visapour, de Colour ou de Sommelpour.

Après avoir lu et relu sa lettre, j'exprimai mes craintes au prévôt des marchands au sujet de ses fréquentations. Celui-ci m'indiqua que les vrais Parsis habitaient dans le Gujerat où ils étaient connus pour leur honnêteté et leur philanthropie.

– Ceux-là semblent avoir usurpé leur identité, insista-t-il. Ton ami est bien crédule. Les royaumes de Golconde et de Visapour attirent toutes sortes d'artisans peu scrupuleux et autres personnages douteux qui abusent de la naïveté des étrangers.

Pris d'une angoisse indicible, je pris ma tête entre les mains :

– Pourrait-il être victime d'aigrefins sans scrupule et dépouillé de nos richesses avant de quitter Golconde ?

L'Arménien secoua le visage en signe d'approbation.

Je restais un moment songeur. Antoine m'avait épargné un voyage aux Indes où je n'avais plus envie d'aller, mais à quel prix ? Sans beaux diamants et sans la commande royale, comment sauver la Maison Chardin ? Si je le retrouvais à Bander Abassi où nous avions prévu de nous embarquer pour rentrer en France, cela relèverait du miracle.

La tournée des adieux

L'automne avait sonné la fin du ramadan. Les Ispahani qui n'avaient pas triché avec la Loi se remettaient des fatigues du jeûne avec la conscience du devoir accompli. Shah Abbas était mort depuis un an. Antoine était enfin arrivé à Bander Abassi et m'attendait avec ses diamants. Ne pouvant plus m'attarder, j'adressai par courtoisie un message d'adieu au *nazir* qui, à ma grande surprise, me convia en son palais sur la belle avenue d'Ispahan. Il me reçut dans son jardin où fleurissaient les dernières roses. Ses pages l'éventaient avec des palmes.

– Ton état est-il bon ? demanda-t-il comme si nous nous étions quittés la veille.

Son air était caressant au possible.

– Grâces en soient rendues à Dieu, les bontés de Votre Excellence ont fait qu'il est parfait.

En m'asseyant à ses côtés, je l'observais discrètement. Dieu, qu'il avait changé ! Son visage s'était alourdi et le regard dont les étrangers vantaient la vivacité s'était éteint comme une perle que l'on ne porte plus. Son esprit avisé et souple lui avait conservé sa charge.

Les serviteurs apportèrent des confitures sèches et liquides, des massepains, des liqueurs aigres-douces que j'aimais, des sorbets au jus de grenade. Après l'échange des compliments qui dura longtemps, nous entrâmes dans le vif du sujet.

— Je te croyais en France en train d'exécuter les bijoux de feu notre roi, dit-il avec sa mauvaise foi ordinaire.

Comme tout semblait perdu, je laissai parler ma langue.

— Il me manquait votre commandement avant de m'engager dans un si long périple…

Il me jeta un regard noir.

— Je ne te reprocherai pas l'oubli de mes bontés passées afin de ne pas troubler le plaisir de nos retrouvailles. Sa Majesté te jugeait trop jeune et trop étranger pour réaliser ces beaux ouvrages persans. J'ai pris le risque de déplaire en disant que Mahomet, lui aussi, avait été jeune et homme de commerce.

Le roi avait cinq ans de moins que moi. Je n'osais le lui rappeler. Il devait se sentir plus en confiance auprès de Shah Séfy pour récupérer le pourcentage prévu sur la vente de nos bijoux.

Une courte pause lui permit de ménager ses effets.

— Rassure-toi! Le roi t'a fait l'honneur d'approuver la commande de son père.

Je retins ma joie de peur qu'elle ne devienne déception. Après m'être perdu en louanges et remerciements, je vérifiai ses intentions en évoquant l'acompte prévu.

— Ne te soucie point de ces contingences, dit-il en levant les bras au ciel. Elles ne sont pas de ton rang. Le chef des orfèvres te remettra l'or promis avant ton départ.

Quand l'un de ses officiers me remit les lettres patentes marquées du sceau royal, le bonheur me fit monter les larmes aux yeux. La Maison Chardin était sauvée, cette fois j'en étais assuré.

Le *nazir* me conseilla de partir toutes affaires cessantes et de revenir avec la vitesse de l'aigle fondant sur sa proie. Nous nous quittâmes bons amis. Le moment d'exaltation passé, je me demandai quel rôle Shirine avait joué dans cette affaire et auprès de qui elle avait usé de ses charmes.

Je commençai ma tournée des adieux en lui faisant une dernière visite. Le cœur lourd, je repris le chemin du Zenderoud et l'attendis dans l'antichambre en ravivant mes souvenirs : les parfums qui m'avaient enivré le premier jour, ma timidité, sa grâce exquise qui m'avait subjugué, mes émois dans ses bras.

Quand elle vint vers moi, son visage me sembla plus pâle que la dernière fois, son sourire plus réservé. Elle égrenait un chapelet de buis avec un air sérieux. Son sourire avait disparu.

– Monsieur le joaillier, êtes-vous heureux des dispositions vous concernant ? demanda-t-elle, toujours aussi prévenante.

Plus aucun doute, elle avait agi en ma faveur. Aveuglé par ma passion, j'avais oublié qu'elle était courtisane et pouvait profiter de son entregent. J'étais prêt à l'aimer encore à mon retour pensant mes sentiments assez forts pour résister au temps.

Elle m'entraîna vers le sofa tout en me récitant des vers de Hafiz. J'ignorais si elle s'adressait à moi, à un prince ou à Dieu. Les sons et les idées formaient une symphonie troublante.

– Ainsi nous allons partir tous les deux ! s'écria-t-elle en prenant du recul.

– Mais où comptez-vous vous rendre, balbutiai-je en craignant de la perdre.

– Je vais accomplir le pèlerinage de La Mecque que tout musulman doit faire au moins une fois dans sa vie et embrasser la pierre noire, pour que le Très Miséricordieux pardonne mes péchés.

Les raisons de ses absences, sa lecture du Coran, son départ pour Mashad, sa réserve s'éclairaient enfin. Une courtisane repentie, je ne voulais pas y croire. Et pourtant, Veronica Franco, à la fin de sa vie, s'était rachetée en fondant une œuvre pour des femmes abandonnées.

Notre relation ne pouvait s'achever si brusquement. Je désirais l'aimer encore pour jouir de sa douceur, en garder le souvenir. Quand je m'approchai d'elle, elle me repoussa en disant qu'elle ne manquerait

Criminel mis au carcan.

pas de prier pour moi, là-bas. Notre belle histoire s'achevait. Il me semblait l'avoir écrite tout seul.

Au sortir de chez elle, je me précipitai chercher de la consolation auprès du prince de l'Eau. Je compris qu'il avait conservé sa charge. Par quel mystère ? Cet homme brillant paraissait à nouveau sûr de lui et flamboyant. Toujours aussi secret sur ses propres affaires. Après avoir entendu le récit de ma séparation avec Shirine et mon déchirement, il me fit la leçon :

— Sois raisonnable, dit-il. Aucun contrat ne vous lie. Vos routes se séparent. Allah est grand et aime la beauté. Le Miséricordieux est l'Adorateur qui lui manquait. Quand elle reviendra purifiée de ses péchés, elle pourrait être à toi, si tu le souhaites.

Je réprimai mes larmes, feignant de le croire pour moins souffrir.

En le quittant, je fus attiré par les spectacles de la place Royale où toutes sortes de divertissements étaient proposés. Il y avait des conteurs de romances, des joueurs de marionnettes, des acrobates et même des prisonniers avec un carcan. Les athlètes des maisons de force montraient leurs exploits avec de lourds haltères de bois. Des femmes débauchées attendaient le client à l'entrée de leur tente. Là, j'admirai la danse des loups, plus loin l'adresse d'un équilibriste qui marchait à reculons sur une corde. Cette animation m'apaisait.

J'eus bientôt l'impression d'être suivi. Sans me retourner, je hâtai le pas quand une voix m'interpella : c'était Mirza Baker, le chef des astrologues, surgi tel un démon de l'enfer. Il était précédé d'un nain hideux qui agitait un fouet pour qu'on lui laisse le passage. D'après Paul celui-ci se glissait partout, se cachant sous une table, virevoltant entre les étals du Bazar, les oreilles grandes ouvertes comme un espion. On l'appelait le Bâtard.

— Halte-là ! Mon maître veut te parler, dit-il en se jetant devant moi.

Je pressai le pas, mais l'astrologue me rattrapa.

— Le joaillier du roi fréquenterait-il le peuple…

Comme je refusai d'engager la conversation et tentai de lui échapper, il hurla de sa voix sardonique :

– Sais-tu que le souverain n'aime pas les bijoux ?

– Sa Majesté a tout de même signé la commande de son sceau !

– Il me faudra lui rappeler que nous avons ici d'habiles artisans et aucune raison d'enrichir des infidèles.

Il me dévisageait d'un air haineux. Comme il avait l'oreille du Maître, il lui servait ce qu'il voulait, nuisant ainsi à ceux qui n'étaient pas de son esprit. Heureusement que je partais. Sinon il aurait pu inventer des fautes ou même des crimes que je n'aurais pas commis. Quand j'essayai de passer entre ses gardes, le nain se faufila jusqu'à moi en vociférant :

– Une malédiction pèse sur cette commande ! Tu ne reviendras jamais à Ispahan ! Toutes les forces du ciel s'y opposeront !

Si je m'étais toujours moqué des prophéties des astrologues, celles de Mirza Baker commençaient à m'inquiéter, car il avait le pouvoir de tout mettre en œuvre pour qu'elles se réalisent.

La dernière visite à Mirza Chéfy

Dès que mon départ fut connu en ville, les équipages défilèrent devant la grille des capucins. Des dignitaires que j'avais connus dans le Mazandaran, les joailliers de la place et bien d'autres vinrent me visiter. Le père Raphaël avait hâte de me voir disparaître pour que la mission recouvre sa tranquillité. Seul Paul était triste. Il aurait bien aimé partir avec moi.

Ma tournée des adieux se poursuivit avec Hisham à la Maison de café. Le temps était aussi beau que le jour où nous commençâmes à traduire *Les Milles et Une Nuits*.

– Nous t'avons adopté, tu es devenu un vrai Persan, soupira-t-il.

– Tous les voyageurs ont une ville de prédilection. Pour moi, c'est Ispahan. Il me semble mieux la connaître que Paris où je suis né. Je ne pense qu'à y revenir.

Depuis qu'il avait son échoppe, l'ancien mollah n'avait plus ses yeux fiévreux ni son air famélique qui m'avaient tant ému lors de notre première rencontre. L'hiver, il se proposait de vendre des peaux d'astrakan, l'été des amulettes en lin brodées de *hadiths* du Prophète qui faisaient fureur contre le mauvais œil.

Il m'avoua à demi-mot – les Orientaux étant discrets sur leurs secrets d'alcôve – qu'il serait bientôt assez riche pour entretenir la jeune fille qu'il avait choisie, en passant un contrat de jouissance pour un mariage provisoire. C'était sa voisine. Il n'avait vu que son regard, mais il y avait lu de l'amour.

– Sois heureux dans ta nouvelle vie, lui dis-je. Mirza Chéfy va se sentir seul après mon départ. Tu vas être occupé, mais ne l'oublie pas. Ce serait triste que tu te soucies moins de lui que de tes livres de comptes !

Le lendemain, des nuages gris couraient au-dessus de la Mosquée royale et le vent emportait les dernières feuilles des platanes. En me rendant rue des Mûriers, je m'attendais à vivre un moment douloureux. Mirza Chéfy écrivait dans sa bibliothèque lorsque je frappai au heurtoir de sa maison. Il savait que c'était moi et vint m'ouvrir lui-même.

– Te voilà à nouveau marchand du roi comme tu le souhaitais, dit-il en feignant une certaine légèreté.

– Grâce à Dieu qui m'a accordé Sa bienveillance, notre commande a été confirmée, mais j'avoue ne pas être comblé d'avoir obtenu ce que je désirais si ardemment et ne pas comprendre mon insatisfaction.

Le sage rétorqua, l'air détaché :

– Le sens de notre destin est mystérieux. C'est ainsi… Connais-tu l'histoire d'Ali ?

Comme je le regardais sans comprendre, il s'expliqua :

– Ali vivait autrefois à Bagdad où il ne possédait qu'une maison et un champ de cailloux. Or, un jour qu'il dormait à l'ombre de son figuier, il rêva qu'il marchait dans une ville où était caché un coffre de pierres précieuses. « Tu es dans la cité du Caire, lui dit une voix. Ces biens te sont promis. » En se réveillant, il prépara son baluchon et s'en alla en Égypte. Il suivit le chemin indiqué sans découvrir le moindre trésor. Un mendiant à qui il raconta son rêve éclata de rire.

« Quelle folie d'entreprendre un voyage sur la foi d'un songe. Moi, je rêve toutes les nuits que je me trouve dans une ville dont le nom est Bagdad. Dans cette ville, il y a une petite maison avec un champ de cailloux et un figuier. Toutes les nuits, je creuse la terre et je découvre un coffre de pierres précieuses. Ai-je jamais pensé à courir vers ce mirage ? »

Ali retourna chez lui. Il saisit une pioche pour creuser au pied de son figuier où il découvrit un trésor.

Les maîtres persans utilisaient des paraboles pour éclairer leurs disciples sans les blesser et pour leur montrer la voie. L'émotion de la séparation m'embrouillait l'esprit. Aucun mot ne sortit de mes lèvres tant le chagrin me serrait le cœur.

Soudain, le seigneur se leva en me demandant de patienter dans la bibliothèque. En l'attendant, je regardai par la fenêtre. Le soleil allait bientôt se coucher. Le crépuscule n'existe pas en Orient et les ombres s'étendaient dehors avec une étonnante rapidité. C'est sans doute pour cela que les Persans ont peur de la nuit.

Mirza Chéfy revint avec un petit manuscrit. Sur la couverture était dessiné le Simorgh, l'oiseau aux ailes flamboyantes. Dans le long poème d'Attar, des milliers d'oiseaux, partis à la recherche d'un roi, subissaient toutes sortes d'épreuves. Seuls trente d'entre eux parvinrent auprès de cet oiseau fabuleux et connurent la révélation : le Simorgh était leur propre essence, leur moi spirituel, le symbole de Dieu dans la tradition mystique.

J'essayai de comprendre les liens entre Ali et les oiseaux. Dans les deux fables, il était question de quête, de découverte de soi-même. La question se posait à moi et je me promis d'y réfléchir pendant mes voyages.

Mirza Chéfy me tendit le manuscrit où il avait copié des sentences persanes et quelques contes,

– Ils seront tes compagnons de voyage. Tu peux les interroger comme des amis, ils te répondront.

En ouvrant le manuscrit au hasard, je lus à haute voix ce proverbe.

« Le vrai sage est celui qui apprend de tout le monde. »

– C'est un mauvais exemple, il me semble que tu pratiques déjà ce conseil !

Le manuscrit serré dans la main, je lui demandai timidement :
– Tout ce travail pour moi ?
– Rien n'est trop beau pour l'ami véritable.

Lorsque l'esclave nous apporta un *kalyan,* nous nous mîmes à fumer en silence. Dans ces moments de calme et de méditation, c'était à l'âme que s'adressait la parole sans voix. Les aromates se consumaient au fond des cassolettes de cuivre. Sous les arches du Zenderoud, les premières cithares se firent entendre. La nuit prenait possession de la ville. Le moment de notre séparation approchait. Il me posa simplement la question qui lui tenait à cœur.

– Quand reviendras-tu ?

– Dans trois ans, au plus tard. Quelques mois pour réaliser les bijoux et je repars. Savez-vous à quoi j'ai songé ?

Il fit « non » d'un signe de tête.

– À mon retour je pourrai écrire la fin du règne de Shah Abbas II et celle des débuts de Shah Séfy comme vous me l'avez demandé.

Son visage irradiait de joie mais il ne répondait pas.

– Si vous le voulez bien car j'aurais besoin de vos lumières, insistai-je.

– Ce serait le plus beau des présents !

Il se leva pour ouvrir les tentures de sa bibliothèque.

– À mon tour, je vais te confier un secret.

Les livres qu'il retira d'une niche laissèrent apparaître un coffre-fort scellé entre les briques.

– Mon fils Shazdeh, le mathématicien, l'a conçu avec un système de fermeture sophistiqué. Parfois je ne parviens pas à l'ouvrir !

Cette fois, il y parvint pour en sortir un portfolio en cuir. En se retournant vers moi, il murmura comme s'il avait peur d'être écouté :

– Quand mes gardes se retirent le soir, je défais le travail du jour, comme l'épouse du rusé Ulysse ! En marge des travaux forcés, dont je dois m'acquitter, j'écris ce que je crois être l'histoire de nos anciens rois et celle de Shah Séfy. Quelques amis fidèles m'informent sur ce qui se passe à la Cour.

Mirza Chéfy parlait avec exaltation, émouvant dans son grand manteau aux couleurs passées. Il n'avait jamais renoncé à rechercher la Vérité. C'était le combat de sa vie. Il m'invita à m'asseoir à ses côtés devant le portfolio.

– Il contient des documents précieux que je vais compléter en ton absence afin que tu puisses les mêler aux tiens. Plus tard, tu feras imprimer l'ouvrage dans ton pays avec ces machines que nous n'utilisons pas pour conserver nos belles écritures! Le monde doit connaître la Perse, celle de Persépolis, celle de Zoroastre à Yazd, celle des poètes de Chiraz, mais aussi le nom de ceux qui ont porté ombrage à sa grandeur.

– Seigneur… Vous connaissez le proverbe : « Donnez un cheval à celui qui veut dire la Vérité car il en aura besoin pour s'enfuir. »

Mirza Chéfy se moquait de ce genre de frayeur.

– C'est à toi que ces témoignages pourraient nuire.

– Ce n'est pas parce que j'ai griffonné quelques textes que je suis capable d'écrire un livre.

– Tu le seras. Et tu verras que rien n'est plus exaltant, plus enrichissant que de s'atteler à une œuvre trop grande pour soi.

Nous évoquâmes longuement le projet que nous commencions à tisser ensemble. Le temps nous glissait entre les doigts, mais nous n'arrivions pas à nous séparer.

Au moment où je pris congé, il me serra contre lui.

– Que Dieu veille sur toi où que tu sois!

Après avoir ouvert la porte, son esclave alluma une torche pour me raccompagner à la grille. Sur le seuil, je m'arrêtai pour donner un dernier signe à l'ami que j'abandonnais.

Mirza Chéfy était impassible.

– Ne tarde pas trop! dit-il avant de retourner à la solitude de sa bibliothèque.

JOHANNES CHARDIN MILES.

Natus $\frac{5}{15}$ novembris, 16 43.

DEUXIÈME VOYAGE

RETOUR VERS ISPAHAN

Bander-Abbassi, sur le détroit d'Ormuz, n'a pas de port. Les flots viennent jusqu'au pied des maisons. Les drapeaux des compagnies étrangères flottent sur les factoreries. On s'y embarque pour les Indes ou les côtes d'Afrique.

L'étranger en son pays

1670

La France de mars était aux prises avec ses giboulées. J'avais enlevé mon turban, laissé repousser mes cheveux, remis mon pourpoint gris et ma perruque, tant bien que mal apprêtée par mon valet. Mon teint était hâlé, mais mon apparence n'avait plus rien d'oriental, je m'étais fondu dans l'uniformité grise des pays du Nord.

J'avais retrouvé Antoine à Bander Abassi, où il passait son temps à jouer aux cartes à la factorerie des Français, avec nos diamants à portée de main. Grâce à notre nouvelle commande, les orfèvres seraient moins exigeants, me semblait-il, sur leur grosseur. De fort bonne humeur, mon associé se disait prêt à rechercher les pierres de couleur, des perles et du corail bien travaillé qui nous manquait et surtout à repartir avec moi en Orient.

Notre retour en France se fit sans histoire. Lors d'une escale de notre vaisseau au cap de Bonne-Espérance, je fêtai mes vingt-six ans avec des émigrés huguenots.

Après une si longue séparation, ce fut un grand bonheur de revoir mes parents. En les embrassant, je ressentis combien ils m'avaient manqué. Ma joie était mêlée de tristesse, car ils avaient beaucoup vieilli. Ma mère avait conservé sa beauté fragile, mais ses cheveux grisonnants tirés sur la nuque accentuaient une peau si mince qu'on voyait battre les veines sur ses tempes. L'âge avait davantage marqué mon père, secoué par des toux incessantes.

Ils contemplèrent avec fierté les lettres marquées du sceau de Shah Séfy et les belles formules qui faisaient de moi la « fine fleur des marchands ». Elles les consolaient des honneurs que je ne recevrais sans doute jamais de Louis XIV.

Dans ma chambre, je découvris la maquette de mon chef-d'œuvre. Elle ressemblait maintenant à un vieux jouet qu'on n'aurait pas osé jeter en mon absence.

En sortant mes vêtements persans de mes coffres, ma mère me demanda si, comme je le lui avais promis, je m'étais intéressé à l'arche de Noé qui s'était échouée sur le mont Ararat.

– Personne ne sait où elle est, répondis-je un peu trop vite. Un vieux derviche d'Erzerum aurait aperçu ses vestiges avec la lunette d'un astronome. Les uns disent qu'elle a été brûlée par les éruptions du volcan, d'autres prétendent que la rechercher porterait malheur. Il y en a même pour soutenir que l'aventure de Noé n'est qu'une légende.

– On dirait que tu doutes de l'Ancien Testament…

– Je ne doute pas, je répète ce que j'ai entendu. Nous avons besoin de preuves et de témoignages indubitables pour déterminer la Vérité.

Sans doute pensait-elle que j'étais devenu relativiste comme Montaigne, mais elle m'aimait toujours.

Nos premières veillées, nous les passâmes à déplorer avec nos amis l'intolérance qui avait pris possession du royaume. La conversion de Turenne avait affaibli notre cause à la Cour. Le départ des nôtres à l'étranger plongeait ceux qui restaient dans le chagrin. Quant à la police créée par Nicolas La Reynie et aux lampadaires installés dans les rues, on pensait qu'ils servaient davantage à nous espionner qu'à préserver la sûreté en ville. L'impossibilité de postuler aux hautes charges et l'interdiction d'exercer certains métiers avaient désespéré les nôtres. Ceux qui s'étaient risqués à des procès contre ces mesures faisaient passer notre communauté pour un rassemblement de personnes rigoristes, voire sectaires. Quoi que nous fassions, le principe sur lequel l'absolutisme royal reposait – « Une foi, une loi, un roi » – était bafoué. Dans le pays où j'étais né, je n'étais qu'un bourgeois hérétique alors qu'en Perse j'avais été honoré pour mes mérites.

Cependant, la vindicte des dévots avait épargné Jean-Baptiste Tavernier. Louis XIV, qui voyait en lui un « personnage considérable », lui avait remis des lettres de noblesse en remerciement des merveilles qu'il lui avait rapportées des Indes. Ses richesses personnelles lui avaient permis d'acquérir la baronnie d'Aubonne dans le canton de Vaud. J'aurais bien aimé lui prouver que j'avais visé aux étoiles, mais l'Électeur de Brandebourg lui ayant proposé d'établir une compagnie de commerce aux Indes, il était déjà reparti. La fièvre du voyage ne vous quitte jamais, disait-il.

Notre Maison avait perdu son ancienne splendeur. Les réformés n'avaient plus le cœur à se parer de joyaux et conservaient les leurs au cas où ils devraient fuir la France. Le retour de notre émailleur et de notre horloger me rassura sur la qualité des objets précieux à confectionner pour le roi. L'atelier recouvra sa gaîté. Mon père reprit goût à la vie. On l'entendait chantonner comme au bon vieux temps en étudiant les dessins de Shah Abbas ou en observant les diamants à l'œilleton.

– Ils sont lumineux même s'ils pèchent par la taille, fit-il, amusé. Une mise en œuvre astucieuse les fera paraître plus imposants qu'ils ne le sont.

Après les relations enchantées que j'entretenais à Ispahan, la vie à Paris me parut monotone, d'un terrible ennui. On ne pensait librement que dans les cercles privés et les académies où les opinions et les hypothèses les plus hardies étaient défendues sans crainte.

Notre amie, Mme de La Sablière m'invita à animer une causerie sur la Perse aux soirées de la Folie Rambouillet. La belle Marguerite appartenait à la religion réformée, connaissait le grec, entendait l'astronomie et portait l'art de la conversation au plus haut degré du raffinement. Elle réunissait autour d'elle toutes sortes d'érudits et de gens de lettres. Molière y avait son couvert, La Fontaine venait y réciter ses fables.

Après les présentations, je pris place derrière un lutrin face à un brillant aréopage, composé entre autres de jeunes femmes savantes et non moins élégantes, assises sur des bergères. Les robes étaient colorées, les bottines de soie et les jambes moulées de bas blancs. Elles m'auraient séduit si mon cœur n'était pas resté au bord du Zenderoud.

Après mon allocution, je me prêtai au jeu des questions. Était-il vrai que les Orientaux enfermaient les femmes dans des palais pour leur seul plaisir, vendaient les chrétiens sur les marchés ou que les princes aveuglaient leurs propres fils pour être sans rivaux ?

Je défendis les Persans avec passion.

– Leur civilisation brillait à une époque où nos pays d'Europe vivaient encore dans la barbarie et l'obscurantisme ! La cruauté des monarques ne s'exerce qu'à la Cour ou à l'encontre des gouverneurs de province qui manquent à leurs devoirs.

Marguerite me demanda ce que j'aimais chez eux.

– Leur gaîté, leur vivacité, leur originalité. Ils ont une telle estime pour les sciences qu'il n'est pas rare de voir des gens de cinquante ou soixante ans aller prendre leur leçon, le livre sous le bras, l'écritoire à la ceinture.

Cela fit sourire.

J'évoquais les hauts personnages que j'avais côtoyés, en rendant d'abord hommage à Shah Abbas qui m'accorda sa confiance et fit de moi un « marchand de grande considération ».

– Ce qu'il y avait de plus louable chez ce prince, c'était son humanité avec les étrangers, l'accueil qu'il leur réservait et la protection qu'il leur donnait.

'CELUI QUI EST, C'EST DIEU, à qui appartient la louange & la gloire.
[La Royauté est donneé de] Dieu. Dieu est élevé par dessus tout.
Au nom de Dieu clement & miséricordieux. [Prophetique]
[O Mahamed. O Ali]
[Le jugement appartient à] Dieu.
[Le secours vient de] Dieu.

Abas second, Roy
victorieux, seigneur
du monde, Prince
tres vaillant, descen-
du de Cheick Séphi, de
Mousa, de Hassein.

Ali.	Xussein.	Hassein.	Ali.
Mahamed.	Iafer.	Mousa.	Ali.
Mahamed.	Ali.	Hassein.	Mahamed.

Commande absolument.

Les Seigneurs des Seigneurs, qui ont une présence de Lyon, & une mine de Désion.
Les Princes, qui ont une taille de Tahem ten-ten, qui paroissent estre du tems
d'Ardesion. Les Regens, qui ont une majesté de Feribours. Les Conquerans des
Royaumes, Les Intendans, qui dissipent les difficultez, & dont Mercure est l'ascendant:
Les fermiers des ports de l'Empire de Caagion, Les Receveurs des péages, & les Pré-
vots des grands chemins, & des passages, [des Gouvernemens]ont à savoir, qu'à ce tems
present, nous avons commandé d'un commandement tres exprés, aux Aga Raisin, &
Chardin, negocians François, la fleur des negocians, de s'acquitter d'un emploi qu'ils ont
accepté, & d'exécuter des ordres qu'on leur a donnez. Il faut absolument, qu'en quelque
part de ces Royaumes de spacieuse étenduë qu'ils se trouveront, & en quelque lieu de
nostre vaste Empire qu'ils passent, soit en allant, soit en revenant, l'on n'exige d'eux,
ni par supplications, ni par demandes, aucuns droits & péages, de quelque nature
que ce puisse estre, & quelqu'authorité qu'on ait d'en exiger, qu'on ne mette point
d'obstacle à leurs desseins, & qu'on ne leur fasse aucune peine, mais qu'on leur porte
par tout toute sorte d'honneur, & de respect, & qu'on leur donne l'assistance qu'il leur
plaira, chaque fois qu'ils la demanderont. Et dés que cette patente aura esté parée,
éclairée, ennoblie, & animée du sçeau qui ressemble au Soleil en dignité, & en vertu, qui
manifeste l'ordonnance du Seigneur du monde, laquelle s'estent sur toutes choses, au
long & au large & sert de Loy à l'Univers, & que le parafe adorable, Saint, Sublime,
tres haut, & sans égal, y aura esté apposé, qu'on ajouste entiere foy, & qu'on rende toute obeïs-
sance à ce qu'elle contient, comme estant un arrest d'enhaut, élevé par dessus
toutes choses, & qu'elle serve à perpetuité aux personnes à qui on la donne. Fait au
mois de Chaval, l'honorable, l'an 1077 de la Ste suitte. La paix & le bonheur demeure
Eternellement avec les sectateurs de la Ste suitte. Acheref, la
noble, en la Province de Theber, esnaan, où Dieu veuille
entretenir toujours la prosperité & l'abondance.

✻ Voyez l'ordre & la Genealogie des Imans.

Lettre patente de Shah Abbas II.

Reigle de Multiplication selon l'Arithmetique Persienne
en l'exemple de 36985 multipliez par 6428.

nombre 3
100.ᵉ de million
6 dix.ᵉ
4.ᵉ de Million
cent.ᵉ 9
10.ᵉ de Million
mille 8
million
10.ᵉ de mille 5
100.ᵉ de mille
Multiplié
Multipliant
10.ᵉ de mille
mille
cent.ᵉ
million
dix.ᵉ
10.ᵉ de million
nombre
100.ᵉ de million

1
8 1
3 6 1
6 2 2
5 4 4 0 8
4 3 1 2
8 6 2 4
3 3 1 4 8
2 5 8
2 1 7
0 6 2
1 6
0 4
4
0

Produit 237739580: ÷ ÷

Règle de multiplication persanne.

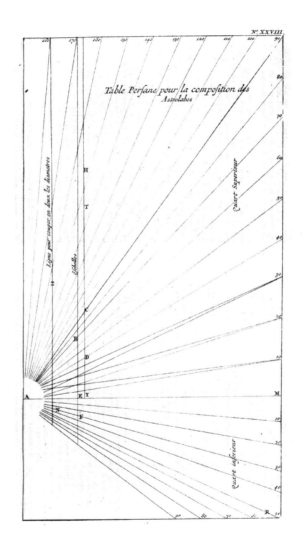

Astrolabe, unique instrument astronomique des Persans.

L'assemblée, qui souffrait de la censure imposée par Louis XIV, applaudit longuement.

– Je voudrais surtout, repris-je, évoquer également le seigneur Mirza Chéfy qui me fit bénéficier de son érudition, de sa sagesse et bien plus encore. Les plus beaux manuscrits emplissent sa bibliothèque. Pour lui, un livre est plus précieux qu'une rivière de diamants.

– Les sages sont-ils ces mystiques qui marchent pieds nus dans le désert? demanda un jeune mathématicien.

– La plupart d'entre eux sont des êtres détachés des biens matériels qui se dévouent à la recherche de la Vérité. Certains parcourent les villes humblement vêtus en racontant des contes, mais d'autres sont des gens comme vous et moi. Ils vous aident à ne pas vous laisser éblouir par les apparences, à vous détacher des désirs les plus vains.

L'émotion m'empêcha d'en dire plus. Une poétesse me relança :

– Que vous a appris ce seigneur?

– Je ne suis pas encore arrivé au bout du chemin pour le savoir!

Je bus une gorgée d'eau avant de confier :

– Il m'a initié à l'âme de la Perse et m'a proposé de rédiger avec lui un moment de son histoire.

– Allez-vous abandonner votre prestigieux métier?

– Tout ce qui m'enrichit m'intéresse, répondis-je de manière évasive.

Au cours de l'une de ces soirées, je revis François Bernier. Celui que l'on appelait « le joli philosophe » pour son esprit et ses talents, était venu publier en France son livre sur le Cachemire. Comme je lui parlais d'Antoine, il m'avoua que, d'après ce qu'il avait compris, ses amis n'avaient aucune des vertus prêtées aux Parsis. L'amitié et la droiture qu'enseignait Zoroastre étaient des préceptes de bonheur et de progrès, un message universel qui ne laissait pas de place au doute.

Il confirmait les craintes du prévôt des marchands en soupçonnant ces « gens-là » d'être des aventuriers qui cherchaient fortune aux mines de Golconde. D'ailleurs ils ne vivaient pas dans le Gujerat ou à Bombay où étaient regroupés les vrais zoroastriens.

— Tu dois l'empêcher de les revoir.

Son ton était ferme. Le mien fut fataliste.

— Depuis qu'il est en France, il copie des textes pour la prêtresse qui semble l'avoir envoûté. Je ne peux rien pour lui. Notre contrat nous lie jusqu'à la vente des bijoux à Shah Séfy. Nous nous séparerons à Ispahan et chacun suivra alors son propre destin.

Au printemps 1671, les plus grands orfèvres de Paris vinrent admirer nos bijoux. Leurs compliments m'allèrent droit au cœur. Tous voulurent participer à cette nouvelle aventure. Raymond Lescot était mort, mais l'avenir de sa Maison était entre les mains de son épouse, Antoinette qui avait maintenant son propre poinçon.

Marguerite de La Sablière fit appel à Robert Nanteuil, peintre et graveur de la haute société, pour dresser mon portrait. Il accepta de me représenter en vêtement oriental, assis à côté d'un globe terrestre, le regard tourné vers la Perse.

La veille de notre départ, au milieu de l'été, je descendis sur les quais de la Seine avec la maquette du globe terrestre. À la lumière d'une lune blafarde, je la fis glisser dans le fleuve et la suivis des yeux jusqu'à ce qu'elle disparaisse. C'était la fin de mes rêves d'adolescent. Une autre vie m'attendait en Perse, plus exaltante. Il me fallait renoncer à devenir maître joaillier en France, mais je gardais le fol espoir que la belle enseigne de mon grand-père resterait accrochée à l'auvent de notre vitrine.

Retour en Orient

La remontée des côtes d'Afrique ne nous avait pas aguerris. Nous avions encore peur de prendre la mer. En arrivant au port de Livourne, nous savions que de nombreux obstacles allaient se dresser sur notre chemin.

Les ennuis commencèrent au large de la Sicile : une tempête se leva pendant la nuit. Les éclairs et les grondements du tonnerre déchirèrent les ténèbres, nous donnant un avant-goût de l'enfer. Je bravai les intempéries sur le pont. Le ciel s'éclairait par intermittence comme en plein jour, la pluie ruisselait sur nos têtes, le bateau prenait eau de toute part et la foudre tua deux hommes d'équipage.

Nous crûmes notre dernière heure arrivée lorsque le mât d'artimon fut jeté à l'eau. Avec d'autres passagers, je prêtai main-forte aux marins qui amenaient la grand-voile pour ralentir la course du navire, luttant contre des vagues déchaînées qui l'ébranlaient en de sinistres craquements.

Un religieux de Damas à la longue barbe grise invoqua Dieu à haute voix : « Que Sa puissance est grande ! Que Sa grandeur est infinie ! Il n'y a d'autre divinité que Lui ! »

— Vous allez nous porter malheur, cria Antoine, désireux de descendre à terre à la première escale.

– On est atteint par la mort même sur le seuil de sa maison, répliqua le religieux d'une voix sinistre.

Toutes sortes d'images m'assaillirent durant cette nuit d'apocalypse. La crainte du naufrage me fit penser aux malheurs des oiseaux du poète Attar. Cette tempête était-elle le prélude d'une longue série d'épreuves, nécessaires pour me détacher définitivement des pierres précieuses ? Pour Antoine, ce n'était que la réalisation des prophéties du chef des astrologues, ce que je refusai d'admettre. Au lever du soleil, le calme revint en mer et dans les esprits, même si les intempéries nous menaçaient encore.

Lorsque nous arrivâmes à Constantinople en mars 1672, le nouvel ambassadeur, Charles Ollier, marquis de Nointel, vint à notre rencontre sur une embarcation où flottait le drapeau fleurdelisé de la nation française. Il nous traita avec les égards dus à des marchands du roi en nous confiant à Antoine Galland, son secrétaire. Ce jeune orientaliste venu étudier les inscriptions sur les monuments antiques fut chargé de s'occuper de nous tant que nous serions à Constantinople.

Son premier geste fut d'apposer le sceau de Son Excellence sur nos coffres et de les faire enlever sans avoir à franchir la douane, ce qui était très généreux car les ambassadeurs se rémunéraient en prélevant un pourcentage sur les marchandises de leurs compatriotes. Au moment où nous récupérâmes notre bagage à la Maison de France, je fis plus ample connaissance avec Galland, qui me confia son plaisir à traduire *Les Mille et Une Nuits* dans notre langue. Je m'en réjouissais quand il m'apprit vouloir supprimer les passages licencieux pour ne pas choquer les chrétiens. Comment un érudit de sa qualité pouvait-il être assez prude pour dénaturer le charme de ces histoires ? Sa traduction sera d'ailleurs appelée plus tard « la belle infidèle ».

À l'ambassade, je m'empressai d'aborder la question des passeports qui nous avait causé tant d'ennuis lors de notre premier voyage.

Le visage de Galland s'assombrit. Nos relations avec les Ottomans s'étaient à nouveau détériorées et la rumeur prêtait au gouverneur de Constantinople le désir de jeter tous les Français en prison.

— Il n'y a pas lieu de s'affoler. Son Excellence va remédier à cette situation délétère.

Dans cette région du monde, Louis XIV ne disposait pas d'individus capables d'évaluer les circonstances, les passions et les intérêts de la France, comme le faisaient les Hollandais qui laissaient à leurs envoyés une grande liberté de négociation. Notre diplomatie était désastreuse.

Malgré leur victoire à Candie, les Turcs reprochaient à la France son soutien aux Vénitiens et refusaient certaines clauses des Capitulations qu'ils jugeaient trop à notre avantage. Ils ne pouvaient souffrir que les étrangers n'ayant pas de représentants à la Porte commercent sous pavillon français et que Louis XIV, leur ennemi intime, soit le protecteur de tant de pays en leur Empire.

D'une naïveté et d'un optimisme à toute épreuve, Antoine Galland ajouta :

— Panyotti, son drogman, nous a promis que tout serait réglé à Andrinople avant le départ du sultan pour la Transylvanie où il veut reprendre la Podolie aux Polonais.

— Personne ne peut accorder de crédit à ce fourbe qui déteste les Français…

— Il est prévu que les négociations se déroulent avant la Marche du roi.

— Notre ambassadeur pense-t-il vraiment que le vizir va perdre son temps à régler une affaire en discussion depuis des années au moment où il part en campagne ?

Ma remarque sembla l'ébranler.

— Vous en jugerez par vous-même, car M. de Nointel souhaite que vous fassiez partie de la délégation française.

Enfin une bonne nouvelle! Je n'allais pas bouder mon plaisir à participer à un événement auquel aucun voyageur n'avait jamais assisté. Cela me permettrait de suivre l'avancement des négociations et de faire la relation de cette Marche à Mirza Chéfy, concerné par tout ce qui touchait à l'ennemi de la Perse. J'aimerais l'entendre dire à nouveau : « Je vois la scène avec tes yeux. »

Après avoir confié nos bijoux à Antoine, je me rendis à Andrinople avec la délégation au mois de mai. Nous logeâmes près de la rivière Maritza dans un caravansérail couvert de nids de cigogne. Il faisait froid. Les ruisseaux gelés brillaient comme de la laque. L'ambiance était aussi fraîche dans l'entourage de l'ambassadeur où, à l'exception de Galland, l'on ne se faisait guère d'illusions.

D'ailleurs, Küpperlü, le grand vizir, prit prétexte des fêtes du calendrier musulman pour refuser d'accorder audience à M. de Nointel. Comme je le craignais, rien ne fut signé avant la Marche du roi.

Le matin du défilé, je m'habillai chaudement et attachai mon écritoire à la ceinture. La tribune de l'ambassadeur était bien placée sur le parcours. Une musique tonitruante annonça le début de la cérémonie, sous la protection de Mahomet, dont l'étendard vert aux calligraphies d'or flottait en tête du cortège.

C'était impressionnant d'assister au déploiement d'une partie de l'armée turque qui faisait encore trembler l'Europe. Je notai ce qui frappait mon imagination : les cavaliers brandissant les *thous,* des queues de cheval blanches, signe de ralliement et d'encouragement dans les batailles, puis les chasseurs portant les fauves en croupe, les fauconniers, oiseaux de proie au poing.

Je fis ensuite le portrait du grand vizir, reconnaissable à son turban au bandeau d'or, insigne de ses fonctions et dont la haute taille en imposait à tous. S'il passait pour savant dans les disciplines de l'esprit, il avait gagné au combat la réputation d'un grand chef de guerre. Ce ministre redoutable tenait notre sort entre ses mains.

Un silence respectueux tomba sur la campagne glacée pour annoncer l'arrivée du Grand Seigneur. Par ses airs majestueux, Méhémet IV effaça l'éclat de tous ceux qui l'avaient précédé. On ne voyait pas la balafre qu'il portait au visage à la suite d'un coup de *canjiar* que lui avait infligé son père. Quand il marchait dans les rues de Stamboul modestement vêtu pour écouter ce qu'on disait de lui, ce n'était qu'un petit homme ténébreux au teint basané.

Mais ici, une main sur la hanche, l'autre sur la bride de son cheval, il était magnifique, comme si la tradition guerrière de ses ancêtres reposait sur ses épaules. Sa cotte de mailles était fermée par des brides de diamants. Le *saric* vert de son turban semblait dessiner la couronne de lauriers des vainqueurs.

— On dirait le dieu Mars en personne, s'écria Galland, toujours prompt à s'extasier.

Je pensai à Antoine pour qui les pierres attiraient les forces cosmiques et les communiquaient aux hommes. Ce n'était pas une armée pour la parade comme celle des Persans, mais une vraie armée composée de plusieurs milliers de guerriers qui avaient conquis des territoires jusqu'en Afrique.

— Il me semble que le sultan a gagné la guerre avant de la commencer, soufflai-je à Galland. Son Excellence ne sera jamais en mesure de négocier les Capitulations et de nous obtenir des passeports. Nous sommes déjà du côté des vaincus.

— Conservez-lui votre confiance, je vous en prie, répondit-il en posant sa main sur la mienne. Il ne vous décevra pas !

Cavalier persan vêtu à la géorgienne.

Les extravagances du shah de Perse

Les lettres que j'avais reçues d'Ispahan montraient que le jeune roi ne se souciait guère des affaires du royaume, laissait les religieux intensifier leurs persécutions contre les soufis et faisait attendre plusieurs mois les ambassadeurs désireux d'obtenir une audience. Par ailleurs, celui que l'on appelait le « roi fainéant » élevait un palais somptueux à la gloire de son règne dans le jardin du Rossignol.

Quand l'*athemat-doulet*, le premier officier du royaume, prenait une décision au conseil, elle était abrogée par les épouses, les favorites et les eunuques, tous incultes. Ces derniers, qui gouvernaient Séfy depuis sa naissance, avaient fait de lui le plus capricieux et le plus absolu des monarques. En faisant trembler le sérail, le chef des eunuques noirs faisait trembler l'Empire.

Sous prétexte d'irriguer des terres arides, le souverain avait également ordonné le percement d'une montagne afin de détourner le lit d'une rivière. De lourds impôts avaient été levés pour des travaux gigantesques auxquels il avait fallu renoncer.

Si l'on dénigrait sa faiblesse, on craignait sa cruauté, car il terrorisait son entourage aussi bien que son peuple. Lors de ses chasses, il décochait une flèche aux paysans qui osaient lui adresser la parole. Il avait ordonné de crever les yeux de son demi-frère, le jeune Hamzeh Mirza, qui aurait dû régner à sa place et fait poignarder sa mère pour ne plus entendre ses cris.

L'un de ses gardes qui n'avait pas respecté une fête religieuse avait été attaché sur une planche, la poitrine percée de coups de poignard. On avait mis le feu à des mèches insérées dans ses plaies emplies d'huile. Les hurlements du malheureux avaient retenti dans tout le palais.

C'étaient les dernières nouvelles envoyées par le prince de l'Eau de sa propriété près de Chiraz. À nouveau bien en Cour, il avait peur de son maître mais ironisait : « Chaque fois que je sors de chez le roi, je regarde dans le miroir si j'ai toujours la tête sur les épaules. »

On ne peut imaginer les malheurs suscités par un mauvais gouvernement lorsque le souverain ne songe qu'à se divertir. Dans les provinces, les gouverneurs suivaient son exemple et se conduisaient en tyrans. Les fraudes qui s'accumulaient faisaient baisser les revenus impériaux. Le prix du blé ne cessait d'augmenter à cause des sauterelles qui avaient dévoré les récoltes plusieurs années de suite.

Ignorant son peuple, Séfy restait confiné au sérail. Allongé sur un sofa, une aiguière de vin à ses côtés, il regardait danser les jeunes vierges, enlevées à l'âge le plus florissant de leur beauté pour son seul plaisir. Sa santé commençait à se ressentir de sa débauche. Il souffrait de langueurs et d'une inflammation de la gorge semblable à celle qui avait emporté son père.

Sa mère, la *Duchesse légitime*, déplorait que ses humeurs mauvaises se soient communiquées à son esprit et l'aient rendu indifférent aux devoirs de sa charge. Lorsqu'elle le convoqua dans ses appartements, Séfy se présenta tête baissée et s'agenouilla humblement à ses pieds, en signe de soumission. Elle exigea qu'il renonce à l'alcool et à ses folles dépenses. Elle ordonna au grand sommelier de vider les tonneaux du cellier impérial dans le Zenderoud, qui rougit comme si le sang avait coulé sur ses rives.

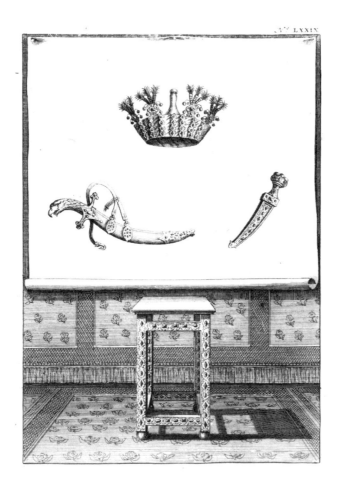

Pièces principales du couronnement. Le trône est un tabouret
en or massif, couvert d'émeraudes et de rubis. La couronne,
l'épée et le poignard sont sertis de pierres précieuses.

Cette fois, son fils tomba dans l'excès inverse : il devint d'une sobriété maladive et d'une avarice sordide qui n'améliorèrent ni sa gouvernance ni sa santé. Le jeune eunuque qui avait remplacé le médecin d'Abbas, envoyé en exil, fut injurié et traité de chacal impuissant. Pour se défendre, il accusa son ennemi, le grand astrologue.

– Madame… Si Sa Majesté est languissante, la faute en incombe à Mirza Baker, qui n'a pas su choisir la bonne heure pour son couronnement. Afin que le souverain recouvre la santé, la cérémonie doit être renouvelée sous de meilleurs auspices.

Sa suggestion fut reçue dans un silence déférent et lui attira les bonnes grâces de tout le sérail, prêt à accorder ses suffrages aux propositions les plus extravagantes. Le magicien, ulcéré, dut s'exécuter pour éviter le châtiment suprême. Après avoir consulté almanachs et astrolabes, il choisit l'équinoxe du printemps, jour où les Persans célébraient Norouz, la nouvelle année et la renaissance de la nature.

Le second couronnement se déroula avec la même pompe que le premier dans la grande salle du pavillon des Quarante-Colonnes, éclairée par des lampes en or massif posées à terre. Après ses ablutions, Séfy revêtit ses vêtements ordinaires, car telle était la coutume. L'heure n'était plus aux remontrances maternelles, mais aux célébrations. Entouré de jeunes eunuques qui portaient ses armes, il s'avança, content et hautain, jusqu'au trône, une sorte de haut tabouret carré dont les pieds étaient sertis de rubis et d'émeraudes que j'avais admiré à l'époque de Shah Abbas.

D'un clin d'œil, le chef des astrologues décréta que le moment était venu. L'office s'ouvrit par des oraisons. Il fut rappelé que la royauté relevait du commandement de Dieu et symbolisait le lien entre le Créateur et les hommes.

Le souverain paraissait ahuri comme s'il avait abusé de l'opium. L'ennui se lisait sur son visage. Des bâillements lui échappèrent pendant les prières.

On ceignit à ses côtés le sabre et le poignard et l'on posa sur sa tête la couronne des *sophi,* ses ancêtres, aux riches aigrettes. Lorsqu'il fut annoncé qu'il s'appellerait désormais Soliman, l'assemblée éclata en acclamations :

– *Inch Allah!* Que ce prince surpasse la gloire et le bonheur du sage monarque qui le premier porta ce nom!

C'est ainsi que Séfy II devint Soliman III. On le revêtit des vêtements les plus somptueux. On refit les sceaux et les cachets de l'État. Les astrologues prédirent que les étoiles et le changement de nom annonçaient la renaissance d'un prince dont le règne serait heureux et bénéfique. Les premiers mois, au grand soulagement de son médecin, il sembla se porter mieux, mais le pays n'en profita guère.

Peu de temps après, une comète rouge traversa le ciel d'Ispahan et sema la panique. Selon les almanachs, elle annonçait des troubles.

Cet événement bouleversa Antoine. Lors d'une séance de divination, il crut lire dans son talisman qu'une période défavorable s'ouvrait pour les étrangers en Perse. Il s'en effraya et me communiqua son anxiété. Si le trésor royal était vide, pourquoi le roi achèterait-il des bijoux dont il avait signé l'ordre sans désir?

Pour nous, il était urgent de regagner Ispahan avant que le trésor royal ne soit vide.

Le marchand de fourrures

Après la Marche du roi, M. de Nointel avait erré entre les tentes que l'on démontait à la recherche d'un officier pour le conduire chez le grand vizir. Ce n'est qu'en fin de journée qu'on lui apporta un message : le *kamaycan*, le gouverneur de Constantinople, lui remettrait les passeports pour le vaisseau du roi et pour tous ceux qui en avaient fait la demande.

Cette nouvelle nous fit du bien. Lorsque Antoine Galland vint nous rendre compte de cette entrevue, il commença par nous rassurer en nous disant qu'elle s'était bien déroulée. Le gouverneur avait exprimé à Son Excellence ses bonnes intentions à l'égard de la nation française, mais il n'avait pu lui remettre nos documents parce qu'il n'avait pas d'ordre du grand vizir ! La rumeur courait toujours : le gouverneur voulait faire arrêter tous les Français.

Nous voilà à nouveau prisonniers des Turcs et sans solution pour passer sur la rive asiatique. Cependant, cette fois, nous pûmes compter sur notre ambassadeur. Désireux de nous tirer d'affaire, M. de Nointel suggéra à Antoine Galland de nous conduire chez le marchand Ari Léonidas, qui lui avait confectionné un somptueux manteau de zibeline pour célébrer son entrée à Constantinople. Il se fournissait en peaux dans les pays de la mer Noire et connaissait, paraît-il, un autre itinéraire pour se rendre en Perse. On le trouverait à Bébek, un village de pêcheurs où vivaient quelques négociants grecs et arméniens. Cette proposition nous parut d'autant plus intéressante que nous n'en avions pas d'autre.

Son Excellence lui envoya un *express* pour le prévenir de notre venue. Un caïque nous conduisit un matin de bonne heure à son *yali*. Artistement peint de guirlandes de fleurs, il était enfoui sous des lentisques et des mûriers, à l'abri des regards.

Des gardes qui nous attendaient aidèrent nos rameurs à tirer la barque à terre. Ils nous firent ensuite entrer dans un salon au ras de l'eau, décoré de miroirs de Venise et de tapis en fourrure. Un vent froid soufflait en plein été.

Ari Léonidas vint nous rejoindre, vêtu d'un doliman bleu indigo. Cet homme imposant au visage jovial nous inspira confiance et attira notre sympathie en parlant français. Comme, dans ce pays, on ne discutait pas de choses sérieuses en restant debout, nous prîmes place sur un sofa.

À notre demande, Galland nous présenta comme des savants que le shah de Perse avait appelés pour étudier les tremblements de terre, puis lui expliqua les raisons qui nous empêchaient de quitter Constantinople.

Pendant qu'il discourait, le Grec nous évaluait du regard. Peut-être avait-il déjà deviné que nous étions de riches marchands. Comme nous étions recommandés par l'ambassadeur, il se mit à notre service.

– Il me serait peut-être possible de vous faire sortir de Turquie par la mer, nous dit-il.

Il nous expliqua qu'il naviguait chaque été sur la saïque du nouveau commandant que le sultan envoyait à la forteresse d'Azac en Crimée. La garnison empêchait les Cosaques et les Tatares de descendre le Don pour mettre à sac les côtes de la mer Noire, chasse gardée du Grand Seigneur. Ce vaisseau pouvait accueillir près de deux cents passagers.

Carte de la mer Noire dessinée par Jean Chardin en 1672.

Il était libre de droits et n'était inspecté ni par les douaniers ni par la police du gouverneur.

Je l'interrompis :

– On dit que les capitaines naviguent à vue et sans instruments et que le mauvais temps cause de nombreux naufrages.

– Croyez-moi, monsieur Chardin, répliqua Ari en croisant les bras sur la poitrine, j'ai vécu bien des tempêtes et je suis toujours là. Le capitaine est un homme expérimenté. Pour ne pas attirer l'attention, je pourrais même louer des loges à mon nom.

Me souvenant de l'importance des cartes pour Tavernier, je lui demandai s'il en possédait une du Pont-Euxin.

– C'est sur cette côte que j'achète mes fourrures, vous pensez si je la connais !

Il se pencha au-dessus de la table basse pour prendre son écritoire et une feuille sur laquelle il traça, ou plutôt gribouilla à la mine de plomb, la côte de Crimée et Caffa, notre destination, en précisant le déroulement de notre périple.

Nous n'aurions rien à déclarer en montant sur le bateau de Mingrélie. Moyennant quelques aslanis, il convaincrait l'écrivain chargé de faire le relevé de nos coffres que nous ne transportions que des bagatelles. Ainsi nous serions exonérés de droits. Un avantage substantiel pour des marchands !

Selon lui, la Mingrélie était une région verdoyante, la Colchide des Anciens, le pays de Jason et de la Toison d'or, mais aussi celui des Amazones, les guerrières qui tuaient leurs amants au petit matin.

– N'ayez crainte ! dit-il en lisant de l'inquiétude dans nos yeux. Ce ne sont que des légendes ! En revanche, le vin pétillant et les belles Circassiennes n'en sont pas ! On peut en acquérir à Isgaour.

C'est ainsi que j'entendis parler pour la première fois du plus grand marché d'esclaves d'Orient, alimenté par les guerres et les pillages et fréquenté par tous les marchands de la région. Son existence même donnait froid dans le dos.

– Je m'occuperai de tout en allant acheter une couturière, reprit le Grec. J'enverrai un *express* au père Zampi à la mission des théatins à Sipias. Il viendra vous chercher en rade d'Anerghie où notre vaisseau restera quelques jours.

– L'avez-vous déjà rencontré ? demanda Antoine.

– Non, mais il est renommé dans la région. Il vous donnera une escorte pour vous rendre en Géorgie. De là, vous pourrez rejoindre la Perse en trois ou quatre semaines, par une route plus courte que les autres.

– Mais pourquoi donc les voyageurs préfèrent-ils se déplacer en caravane ?

– Les terriens craignent toujours de prendre la mer !

À midi, nous discutions encore en buvant du raki, du « lait de lion », un alcool anisé très fort. En aparté, je dis à Antoine qu'il était dangereux de nous risquer dans des pays inconnus, mais Galland tint à nous rassurer. Nous n'avions aucune raison de nous méfier d'un marchand du Grand Seigneur, recommandé par l'ambassadeur.

Le Grec plaisanta jusqu'au moment d'aborder le montant de ses services. Il exigea alors une bourse d'or pour nous conduire jusqu'à Sipias. L'alcool et la chaleur m'étaient montés à la tête, mais pas au point d'accepter n'importe quel marché.

– Cette somme est exorbitante ! m'écriai-je. Toutes les aides que nous avons reçues pendant nos voyages n'ont jamais atteint ce montant !

– C'est mon prix, répondit Ari d'un ton sec.

Il le justifia en soulignant ses bonnes relations avec le capitaine pour trouver des loges, sa connaissance des pays de la mer Noire et surtout les risques qu'il encourait. Si, par hasard, les Turcs découvraient qu'il nous avait fait sortir de Constantinople sans passeports, il serait le premier jeté à la mer.

Nous demandâmes à réfléchir. Il ne nous en laissa pas le loisir.

– Le navire appareille dans trois semaines. Si vous êtes intéressés, dites-le-moi maintenant. Car je dois me rendre demain à Stamboul pour parler au capitaine.

On sentait qu'il commençait à s'impatienter.

– Si vous avez une autre voie pour vous rendre à Ispahan, n'hésitez pas à l'emprunter, dit-il en se levant pour nous donner congé.

Galland nous poussa à accepter.

– Les Grecs ont le sang chaud, dit-il à voix basse. Ne vous fiez pas à son mauvais caractère. Comme vous pouvez le voir, c'est un homme solide.

Antoine et moi n'arrivions pas à nous faire une idée de ce qui nous attendait. Si nous restions à Constantinople, nous risquions la prison et la confiscation de nos bijoux. Si nous acceptions l'offre d'Ari Léonidas, nous naviguerions sur une mer que les Turcs appelaient *cara denghis*, « noire comme l'enfer », et traverserions sans carte les pays du Caucase, en ignorant l'accueil qui nous serait réservé à la Cour de Perse.

L'odyssée de la mer Noire

Ce fut la fête jusqu'à Caffa. Le vin de Ténédos d'Ari Léonidas coula à flots pour accompagner les volailles que nos gens rôtissaient à la poupe. Pendant toute une semaine, nous restâmes au soleil sur le pont. Antoine étudiait les textes de Nicolas Flamel qu'il avait copiés pour séduire Hutuosa.

En profitant d'une oisiveté propice aux rêveries, je pensais à Shirine et gardais, je dois l'avouer, l'espoir de la revoir. Il suffisait que je ferme les yeux pour voir apparaître sa silhouette élégante et pour entendre sa voix charmeuse réciter des poèmes. Je l'aimais encore.

En relisant le petit manuscrit de Mirza Chéfy, je tombai sur un conte que je n'avais pas encore vu. Un jeune adepte voyageait avec son maître spirituel en lui cachant ses pièces d'or. À un croisement de routes, il lui demanda laquelle choisir. Le maître lui répondit : « Débarrasse-toi de ce qui excite ta crainte, car cette chose te rend coupable et alors tout chemin que tu voudras prendre sera bon. Lorsqu'il arrive à l'improviste, l'or vous gouverne. Celui qui a suivi sa route s'est égaré, et on l'a jeté pieds et poings liés dans le puits. Tous les chemins sont dangereux pour celui qui transporte des richesses. »

Tout ce que le sage me faisait lire semblait me concerner. Ses messages m'étaient toujours destinés, mais je n'étais pas toujours capable de les interpréter.

Pour le moment, nous nous réjouissions d'avoir échappé au gouverneur de Constantinople et d'être à Caffa, une ville accueillante, bâtie en demi-lune au pied d'une colline et ceinte de murailles. On y entrait et on en sortait librement. Autrefois, on l'appelait le « grenier de Rome » parce que la nourriture y était abondante. La pêche à l'esturgeon était achevée et on pouvait s'y procurer du caviar à volonté.

Pendant une vingtaine de jours, je dessinais la carte de la côte en pensant qu'elle serait utile aux voyageurs. Avec mes instruments de mathématiques, je l'arpentais sans être importuné, comme si j'étais devenu une figure familière du paysage. Nous avions la curieuse impression d'en avoir fini avec les ennuis.

À la fin août, nous repartîmes vers le pays des Tcherkesses, d'anciens chrétiens retournés à la barbarie, qui vivaient de la chasse. Les Turcs ne cherchaient même pas à les conquérir et les laissaient se battre entre eux dans les forêts. Leurs peaux de zibeline étaient les plus belles au monde. Les marchands les échangeaient les armes à la main contre des fusils ou des pièces de feutre dans lesquelles ces sauvages se coupaient des capes.

En remontant à bord, Ari étala ses fourrures sur les ballots de marchandises.

– Elles sentent encore l'odeur des bois, dit-il en éclatant d'un rire vulgaire. Imagine les pelisses chaudes et légères que je vais préparer pour les favorites du Grand Seigneur.

Alors que nous pensions golfoyer tranquillement, nous restâmes encalminés dans une crique brûlante à portée des sauvages.

Nous passâmes la nuit à surveiller le rivage, étouffant entre une mer noir d'ébène et la brume qui cachait les étoiles. Les jours suivants, nous fûmes aveuglés par la réverbération de l'eau qui desséchait nos lèvres où éclataient de petites plaies douloureuses.

Nous continuâmes à dévorer des œufs d'esturgeon avec du pain, puis nous fûmes obligés de nous contenter de biscuits de mer bourratifs et sans goût. Nos valets se mirent à grogner, nous soupçonnant de cacher de la nourriture dans nos loges. Nous craignions de finir le voyage les yeux secs et les membres décharnés comme les oiseaux du poète Attar. Aux prises avec de sombres pressentiments, Antoine ne cessait de consulter en vain son talisman.

Grâce à Dieu, un petit vent finit par se lever et les marins hissèrent les voiles en chantant. À la mi-septembre, nous arrivâmes en rade d'Isgaour où une dizaine de vaisseaux étaient au mouillage, attirés par le marché aux esclaves. Nous découvrîmes avec horreur que les huttes en ramée où les marchands exposaient et échangeaient leurs marchandises étaient la proie des flammes. L'un des capitaines cria dans son porte-voix que le prince de Mingrélie avait appelé les Abcas, des peuplades aussi peu policées que leurs voisins, pour se défendre contre les Turcs.

Ce n'était partout que viols, pillages, enlèvements d'hommes et vols de bétail. Nous étions dans la situation du jeune adepte. Toutes les routes nous mettraient en danger si le Grec ne tenait pas ses promesses. Quand je lui demandai s'il allait descendre à terre, il se montra rassurant :

– Celui qui osera s'attaquer à moi n'est pas encore né !

Les marchands rejoignirent la côte en barque, alors que les dernières flammèches couraient encore comme des feux follets sur les cahutes effondrées. Une heure plus tard, le Grec revint vers nous.

– Voyez-vous, la vie nous réserve bien des surprises. Le chaos m'empêche de me rendre aux marchés aux esclaves et aux fermes qui sont dans la direction opposée. Si je n'achète pas de couturière, je n'aurais personne pour coudre les fourrures du Grand Seigneur. Vous qui êtes des marchands me comprendrez certainement…

Nous comprenions surtout qu'il nous laissait tomber. Il savait donc qui nous étions et ne méritait pas la bourse d'or qu'il nous avait extorquée.

– Les pillards se sont repliés, mais ils ne tarderont pas à revenir, reprit-il avec cynisme. Sur le chemin des fermes, tu rencontreras bien un Mingrélien qui, en échange de quelques pièces, apportera un message à Sipias.

– Mais… nous étions convenus…

– Je m'étais surtout engagé à vous faire sortir de Constantinople et je crois avoir rempli mon contrat !

Pour la première fois de ma vie, je ressentis une bouffée de haine pour un être humain. Comment traverser ce pays sans être dépouillés de nos bijoux ? Je maudis Galland et notre ambassadeur, mais aussi ma crédulité. Seul Dieu pouvait maintenant nous sauver.

Après avoir fait mes dernières recommandations à Antoine qui resta à bord avec nos bijoux, je descendis à terre avec mon valet dans une barque bondée, prête à chavirer à tout moment.

Le bourg disparaissait sous un rideau de fumée noire. Des cavalcades résonnaient dans le lointain. Sur le chemin des fermes indiqué par Ari, nous rencontrâmes des paysans hagards et désemparés. Les cavaliers avaient saccagé leurs champs et ils n'avaient rien d'autre à offrir que du *gom*, une sorte de galette de millet. L'un d'eux promit de revenir le lendemain avec des œufs et des fruits. Un autre accepta en échange d'une forte récompense, à payer à Anerghie, d'apporter un message au père Zampi.

À la nuit, nous nous abritâmes terrorisés dans l'une des cabanes qui avaient échappé aux flammes.

– Les paysans ne reviendront jamais, pleura Benoît, âgé d'à peine vingt ans.

– Nous achèterons ce qu'il faut à bord, même à prix d'or.

– Monsieur, j'ai peur. Pourrais-je dormir près de vous ?

– Soyons courageux. Il vaut mieux veiller à tour de rôle. Si tu crois en Dieu, c'est le moment de prier.

Le lendemain, le silence nous parut assez menaçant pour rejoindre notre bateau au plus vite. En chemin, nous croisâmes un cavalier aux longs cheveux roux. Revêtu de noir, il me dévisagea avant de s'éloigner dans un nuage de sable.

– Pressons-nous, dis-je à mon valet, cet homme ne me dit rien qui vaille.

Mingrélien protégé l'hiver par une cape de feutre.

Alors que nous trébuchions dans les broussailles, il nous rattrapa accompagné de cavaliers qui nous ligotèrent et nous dépouillèrent de nos pistolets. Redoutant de finir au bout d'une corde ou sur le marché aux esclaves, je lui criai :

– Si tu nous libères, je te donnerai les pièces d'argent que je tiens sur le bateau.

L'argent monnayé manquant dans la région, il accepta, à ses conditions :

– Ton compagnon peut partir, mais toi, tu restes ici! S'il n'est pas de retour avant le coucher du soleil, tu seras pendu.

J'ordonnai à Benoît de lui obéir et de revenir avec du renfort.

L'attente fut intolérable. J'avais cru viser aux étoiles, mais j'étais tombé dans le bourbier mingrélien. Il ne me restait plus qu'à pleurer sur mon sort. Mes parents allaient perdre leur fils unique et passer leur vie à me pleurer. Mirza Chéfy m'attendrait en vain pour écrire l'histoire des Safavides.

Il me revint alors en mémoire que, d'après le penseur Ibn Arabi, les hommes se révélaient dans les difficultés du voyage. S'ils surmontaient leurs craintes, ils trouvaient en eux des trésors insoupçonnables. L'anxiété me tournait la tête, mais j'essayai d'apaiser mon agitation intérieure.

À l'horizon, le soleil poursuivait sa descente infernale vers la mer. Alors que je désespérais que mon valet ait donné l'alerte, je le vis arriver avec une troupe armée de mousquets, conduite par Antoine. Surpris par les premiers coups de feu, les Abcas sautèrent sur leurs montures et détalèrent. Je tombai dans les bras de mes sauveteurs.

– Je t'avais bien dit, s'écria mon associé, que les prophéties du grand astrologue nous porteraient malheur!

– Tu as tort, comme tu le vois, nous sommes tous sains et saufs!

La princesse de Mingrélie

Nous avancions à un bon rythme. Quelques jours plus tard, notre vaisseau jetait l'ancre en rade d'Anerghie. Tous les marchands étaient remontés à bord, sauf Ari Léonidas. Il s'était disputé avec un Turc qui convoitait la même esclave que lui. Un coup de dague avait mis fin à ses jours. Sa disparition ne nous affligea guère. Je dirais même qu'elle apaisa notre colère.

Le rivage que je scrutais avec la lunette du capitaine était vide. Si le père Zampi ne venait pas, nous serions obligés de retourner à Constantinople. Ce qui était impensable. Finalement, il arriva en barque avec l'*express* d'Isgaour et Vittorio, un jeune et fringant laïque. Ils s'excusèrent de leur retard dû aux Abcas en maraude. Le théatin avait le visage jaunâtre et le ventre gonflé, comme s'il souffrait d'hydropisie, la maladie du pays. L'humidité était telle que, si l'on n'arrachait pas les racines des arbres, la Mingrélie ne serait qu'une immense forêt.

Le supérieur leva les bras au ciel en apprenant que nous transportions des bijoux.

– Si vous les apportez à la mission, nous allons tous être massacrés!

Quant à Vittorio, il ironisa sur les lettres de notre ambassadeur qui priait le *dadian,* très illustre prince de Mingrélie, de veiller à notre sûreté et de nous aider à passer en Perse.

— Le prince est encore plus scélérat que ses sujets! La dernière fois que j'étais à son chevet pour le soigner, il a envoyé ses gardes voler mes biens.

Les arguments d'Antoine ne réussirent pas à amadouer ses frères catholiques. Seule une bourse d'argent leur rappela le devoir d'hospitalité.

Contrairement aux propos du Grec, la Mingrélie n'avait rien d'une terre de légendes. Ses habitants étaient aussi mauvais que le climat. Les meurtres étaient leurs plus belles actions. Le mensonge, la bigamie et l'inceste, leurs plus nobles vertus. Les seigneurs vendaient femmes, enfants et sujets pour compenser les maigres tributs que leur rapportaient leurs terres. Comment allions-nous traverser ce royaume avec trois cent mille ducats de joyaux, sans risquer nos biens et nos vies?

Nous descendîmes à terre, la peur au ventre. Nous louâmes des chevaux à Anerghie, une bourgade de quelques foyers disséminés, sans nous rendre compte que nos charrettes regorgeant de coffres et de provisions attiraient l'attention.

C'est sous une pluie battante que nous découvrîmes les méchantes maisons en bois de la mission de Sipias où nous n'avions pour toute protection que trois prêtres maladifs, deux laïques indifférents, une poignée d'esclaves et pas la moindre escorte pour nous conduire en Géorgie.

— Vous avez de la chance, s'écria Vittorio, en nous abritant. Quand il pleut, Thinatin, la *dedopale*, ne sort pas, mais elle sait déjà que vous êtes là. C'est une belle femme, une véritable Amazone. Ses paysans lui repèrent ses proies. Et elle passe à l'attaque.

C'est ainsi que nous fut révélée l'existence d'une princesse qui excellait dans ce que les Mingréliens appelaient leurs vertus. Il n'y avait pas de méchancetés qu'elle ne mette en œuvre pour s'enrichir, conquérir des amants ou les perdre. Le *dadian* refusait de partager sa couche et même de vivre avec elle.

Nous pensâmes d'abord aux bijoux que les religieux nous conseillaient de cacher dans le sépulcre. Persuadés qu'ils parleraient si on leur mettait le couteau sous la gorge, nous préférâmes les enterrer dans des bosquets.

Après un frugal souper, nous nous barricadâmes dans nos maisonnettes où l'humidité du sol nous obligea à dormir sur des estrades. Le cri du chacal nous tint éveillés une partie de la nuit. Rien n'était plus inquiétant que d'être cerné par la forêt, si épaisse qu'une armée y serait invisible.

Ce ne fut pas une armée que nous vîmes arriver le lendemain, mais une poignée de cavaliers à la mine patibulaire. Le sommet de leurs crânes était rasé. Le reste de leurs cheveux, coupés au bol, tombaient sur leurs yeux. Ils faisaient peur à voir. La voix tremblante, le père Zampi nous présenta comme des savants appartenant à leur ordre.

– La princesse a appris, dit leur chef bardé de couteaux et de cordes à la ceinture, que des Européens sont arrivés avec un grand bagage. Elle veut leur souhaiter la bienvenue et faire tuer un cochon en leur honneur.

– Ce sont des religieux, précisa maladroitement le père.

– Religieux ou pas, elle les attend demain.

Et ils repartirent au galop en nous projetant de la boue au visage. Je n'avais aucune envie de me rendre à l'invitation de la princesse, mais Vittorio me conseilla d'accepter en disant qu'un refus ne ferait qu'attiser son courroux.

En Orient, la plupart des femmes étaient enfermées et finissaient par ressembler aux loukoums dont elles se gavaient à satiété. La princesse avait la réputation d'être une belle femme libre qui chassait au faucon et se conduisait comme les « seigneurs des hommes » qui s'accouplaient avec les mâles des peuplades voisines et les tuaient au petit matin.

Antoine m'aida à choisir mes cadeaux. S'ils étaient trop beaux, ils attireraient ses soupçons, trop modestes, sa colère. Des rubans de soie et des ciseaux aux manches émaillés me parurent appropriés à son rang. J'ignorais qu'ils étaient rares en Mingrélie où ils valaient une fortune.

Le lendemain, vêtu de la robe de camelot de l'un des frères, je partis seul avec Vittorio. Pendant que nous chevauchions dans la forêt, le laïque se moquait des théatins en disant que des membres de leur congrégation s'étaient présentés comme médecins au début du siècle au prince Lewan II. En réalité, ils étaient venus dans cette contrée perdue pour prouver que l'Église romaine s'étendait au bout du monde et baptiser les enfants.

– Et toi, quelles sont les raisons de ta présence ici ? demandai-je, intrigué.

Il me raconta qu'il était médecin à Florence où ses baumes de jouvence lui avaient valu une grande renommée et de nombreuses conquêtes. Un jour, il fut surpris dans les bras d'une belle Florentine et poursuivi par le mari jaloux. Il réussit à lui échapper et à se réfugier chez les théatins de Rome qui, en échange de leur protection, l'envoyèrent renforcer leur communauté de Sipias.

– Je ne songe qu'à quitter cet enfer, soupira-t-il. J'ai fait parvenir des onguents de ma composition au vice-roi de Géorgie. On se les arrachait à Florence, il devrait en être de même à Tiflis. Il paraît que sa Cour est magnifique, comporte de nombreux seigneurs de marque et peut-être de belles hétaïres !

Une escouade de gardes nous attendait à la sortie de la forêt où la terre humide chauffée par le soleil dégageait une odeur pestilentielle. Ils nous conduisirent au galop vers la princesse. Nous ignorions ce qui nous attendait.

Son petit palais en bois surmonté d'une tour de guet en pierre était planté au milieu d'une prairie, protégé par une simple haie et un large fossé. Avant de franchir le pont-levis, un homme guère plus engageant que les autres saisit les présents que nous apportions et disparut. Quand il revint, je compris qu'ils avaient eu l'heur de plaire, mais je ne savais pas s'il fallait s'en réjouir.

Thinatin trônait sur une estrade à l'ombre de pins où s'accrochaient des vignes, entourée de ses dames de compagnie, de vrais souillons. Ses cheveux bruns étaient couverts d'un petit voile rejeté vers l'arrière, comme celui de Shirine, mais le sien était retenu par des bijoux de pacotille. Elle jouait de ses yeux noirs outrageusement fardés. Sa chemise rose d'une propreté douteuse était fermée par une ceinture en peau de bête, mais elle n'avait ni casque ni bouclier en demi-lune comme les Amazones. Un cheval paissait à ses côtés. À sa selle, un arc était attaché, semblable à celui de Penthésilée, leur reine.

– Seigneur, votre visite nous honore, minauda-t-elle, feignant d'ignorer que l'on m'avait présenté comme un religieux.

Pendant qu'elle essayait de me tirer des confidences, elle caressait sa gorge avec ses boucles, me signifiant que mes cadeaux étaient ceux d'un riche marchand et non pas ceux d'un religieux, et que je lui avais menti.

Le festin fut la grande affaire de la journée. Le soleil était haut dans le ciel lorsque nous prîmes place, Vittorio et moi, devant un banc recouvert d'une toile peinte où était posée une assiette en argent, sans doute volée, seul luxe de cette Cour misérable. Un cochon bouilli à moitié cru fut servi à la princesse sur une sorte de civière avec des herbes fortes pour exciter l'appétit et porter à boire. Elle en arracha un morceau qu'elle engloutit avec voracité. Elle buvait sans retenue, riait sans raison. Chaque fois qu'elle m'honorait du vin de sa coupe, je le versai discrètement dans l'herbe.

Au cours du repas, elle me fit demander par l'une de ses dames de compagnie si, dans mon pays, les religieux fréquentaient les femmes.

– Dieu suffit à mon bonheur, répondis-je en baissant les yeux.

– C'est regrettable pour un homme si bien fait de sa personne.

La tension montait. L'humidité rendait la chaleur insupportable. Les gredins de sa Cour étaient ivres. Certains ronflaient dans l'herbe, la bouche ouverte, prêts à bondir pour protéger leur maîtresse.

Ma confiance en Vittorio était toute relative. Je craignais qu'il réussisse à s'enfuir sans moi.

Thinatin recommença à me titiller.

– Sais-tu que la reine d'Iméréthie vit avec un évêque qui la comble de toutes sortes de bijoux ? Chez nous, les gens d'Église ont plusieurs concubines et je te ferai connaître bientôt celles que je te destine.

Comment agir avec une souveraine à qui je devais manifester du respect, mais qui se conduisait avec la grossièreté des femmes publiques, apostrophant les marchands dans le quartier des découvertes à Ispahan ? Shirine, pourtant courtisane, avait plus d'élégance et de subtilité qu'elle.

Mon silence et ma retenue ne firent qu'exciter sa colère. Elle vida sa coupe, puis me demanda si, comme on le lui avait rapporté, certains religieux étaient « coupés » en Europe comme les eunuques. Je ne réagissais pas à ses provocations et elle se leva d'un air offensé. Alors que je la saluais, elle aperçut du lin blanc sous ma manche de toile grossière et s'en approcha pour palper l'étoffe. C'était une fine chemise comme seul un gentilhomme pouvait en porter. Persuadée que je me jouais d'elle, elle se tourna vers Vittorio.

– Je veux que le jeune religieux vienne dire la messe dimanche dans la chapelle, ordonna-t-elle avant de se retirer avec les souillons de sa Cour.

Le massacre des livres

Le vent de Mingrélie, brûlant et humide comme s'il sortait d'une étuve, soufflait une odeur de moisi alors que nous chevauchions dans la campagne vers Sipias. Plus loin dans la forêt, les branches griffèrent nos visages, mais j'aiguillonnai mon cheval en cherchant comment échapper au rendez-vous de la mort dans la chapelle abandonnée aux chauves-souris.

Notre chevauchée fit sortir Antoine de sa masure. Il redoutait une nouvelle attaque. Les sbires de la Mingrélienne étaient venus piller nos coffres en mon absence. N'ayant trouvé aucun objet de valeur, ils avaient arraché les couvertures armoriées d'or de mes livres. Les pages de la Bible de ma mère avaient servi de torche pour fouiller sous la charpente. Le petit manuscrit de Mirza Chéfy, plus précieux qu'un diamant pour moi, était en morceaux sur le sol.

Ces bandits ne respectaient rien. « Un homme sans érudition est un corps sans âme », disait un adage persan. Les livres sont fragiles, mais heureusement les pensées ne le sont pas. Celles de mon maître étaient gravées en moi. Je ramassai tous les bouts de papier, le cœur brisé.

Cette attaque avait effrayé le père Zampi qui voulut me chasser de la mission. Il savait qu'un huguenot ne pouvait dire la messe et que mon refus allait déclencher un drame. Si la princesse me soupçonnait d'être un riche marchand, elle allait s'allier avec le *dadian* pour mettre à sac la mission et se partager le butin. Ils se détestaient cordialement, mais s'entraidaient dans le crime.

Heureusement, les religieux ignoraient où étaient nos biens.

– Nous allons partir ensemble à Tiflis, proposa Vittorio. Nous emporterons une partie des bijoux que nous mettrons à l'abri chez les capucins. L'autre partie restera ici avec ton associé. Comme il est catholique, Zampi acceptera de le garder à la mission en attendant…

– Ce serait une bonne idée si Antoine acceptait de demeurer seul.

– Tu arriveras bien à le persuader d'ici demain, répliqua Vittorio. Nous n'avons pas de temps à perdre !

Nos plans déplurent à Antoine, qui pensa que nous voulions le donner en pâture à ces brigands. Vittorio essaya de le raisonner.

– Jean a humilié la princesse devant toute sa Cour. Sa vengeance est animale. Nous l'avons souvent vue à l'œuvre. Si elle vient, et elle viendra, les religieux te présenteront comme celui qui m'a remplacé. Les Mingréliens sont très superstitieux. Ils n'adorent pas les reliques, mais les images. Ils ne se sont jamais attaqués à nous par crainte d'un châtiment du ciel.

– Nous partirons demain et elle ne nous rattrapera jamais. C'est notre dernière chance, ajoutai-je pour le convaincre.

Antoine ne desserrait pas les dents. Je lui mis la main sur l'épaule en le suppliant de m'accorder sa confiance. Il se laissa attendrir. Vittorio lui promit de lui envoyer une escorte et moi, de le retrouver à Erivan dans le caravansérail de l'ami Azeris qui nous avait si bien reçus lors de notre premier voyage. La mort dans l'âme, il finit par accepter.

Le lendemain, nous déterrâmes discrètement les bijoux que je voulais emporter, notamment les montres sonnantes. J'en cachai une partie dans la selle de mon cheval, l'autre à l'intérieur d'un coussin. Les poignards et les horloges restèrent enfouis à la grâce de Dieu. Antoine pleura dans mes bras, pensant ne plus jamais me revoir.

Quand nous pénétrâmes dans la forêt, la pluie se mit à tomber. Nous n'avions que deux chevaux pour nous et nos valets. Ceux qui allaient à pied retardaient les autres en trébuchant dans la boue. À plusieurs reprises, il fallut décharger notre bagage pour sortir la charrette des ornières.

Plus loin, nous croisâmes des paysans qui fuyaient les guerriers abcas et turcs, à nouveau en guerre. Les femmes portaient les enfants, les hommes poussaient des brouettes où brinquebalaient leurs maigres possessions. Les plus âgés se laissaient mourir au bord du chemin, sans même implorer du secours.

– Il y a un temps pour la compassion et un autre pour sauver sa peau, murmura Vittorio, indifférent à leur sort.

Heureusement « les pleurs du ciel », comme les appelaient les Persans, empêchaient le *dadian* et la *dedopale* de courir la campagne.

Une vingtaine de jours plus tard, nous étions au pied du Petit Caucase. Sa montée fut un vrai bonheur. Il était fertile et verdoyant jusqu'à mi-hauteur. La vigne poussait autour des arbres, si haut que l'on pouvait à peine cueillir les grappes. C'était l'époque des vendanges. Le soir, les villageois nous offrirent des volailles avec du pain cuit sous la cendre. De jeunes paysannes nous firent goûter au vin nouveau. Nous plaisantions sans crainte d'être volés ou assassinés. Ce fut un moment de détente et de joie.

À l'heure du coucher, une servante aux joues roses, un panier de fruits sur la hanche, m'ouvrit la porte d'une cabane en bois. Un lit profond trônait près d'un feu et de vieilles icônes. La jeune fille me tendit une pomme avec un sourire engageant. Je la pris par la taille pour l'entraîner vers ma couche.

D'après Haroun Aly, les femmes étaient là pour le plaisir de l'homme comme les fruits de la vigne : Allah ne les aurait pas laissées sur terre si c'était un péché d'y goûter. En l'enlaçant, fiévreux comme un adolescent, je bataillai pour déboutonner sa chemise de laine que je fis glisser sur son épaule. Jamais je n'avais senti des seins aussi doux et aussi charnels. Le feu faiblissait mais la chambre restait chaude et d'une belle couleur orangée.

Après l'avoir savourée dans tous les replis de son intimité, j'aurais voulu lui dire que je n'avais jamais joui d'une femme à ce point, mais elle ne m'aurait pas compris. Les caresses étaient le seul langage qui nous liait. Je rendis grâce à Avicenne : l'amour est bien le remède à tous les maux.

Je quittai à regret la douceur de vivre pour poursuivre l'ascension du Petit Caucase. Des conducteurs géorgiens menaient nos chevaux à la bride sur une route escarpée bordée de précipices. La neige fraîche rendait la marche difficile malgré les raquettes que nous avaient fabriquées des paysans. Si le vent se mettait à souffler, nous serions très vite ensevelis et étouffés.

En arrivant près du sommet à plus de deux mille mètres, il fallut ouvrir un chemin avec des pelles. Nous ne pouvions pas nous croiser. Des Arméniens refusèrent de nous laisser passer et tirèrent leurs épées de leurs fourreaux. Quand je leur montrai les lettres patentes du shah, ils me saluèrent et me donnèrent la préséance. Nous les aidâmes à décharger leurs montures. Ces marchands, qui arrivaient de Perse, m'annoncèrent une bonne nouvelle : Shah Soliman avait retiré son sceau à l'*athemat-doulet*, qui avait osé lui refuser des dépenses somptuaires pour décorer de pierres précieuses le palais des Plaisirs. Je bus une rasade d'eau-de-vie en priant que la disgrâce du Premier ministre, de plus en plus hostile aux infidèles, dure assez longtemps pour que nous puissions conclure notre affaire avec le roi.

Après des mois de tribulations et d'anxiété, j'avais réussi à échapper aux avanies, à l'esclavage et au vol de mes biens, mais je n'étais pas encore au bout du chemin. Je regardais vers la Perse, troublé de la savoir si proche et sans doute différente de celle que j'avais connue six ans plus tôt. Enroulé dans ma pelisse, je me couchai sur une litière en branches de sapin, mes bijoux serrés contre moi. Au chaud dans ma fourrure, j'appréciai le silence des montagnes et la beauté du ciel étoilé.

Les voyages de Marco Polo à travers l'Asie me revenaient en mémoire. Lui aussi s'était mis à l'épreuve du monde. Il y avait rencontré la rudesse du climat, les passes étroites dans les montagnes, les hommes qui volent et qui tuent. Mais ni les intempéries ni les obstacles n'avaient altéré sa force et son courage. Les voyages avaient développé sa capacité d'étonnement et la fraîcheur de ses observations. Qu'en serait-il pour moi?

Le festin de Tiflis

À la suite de la conquête de la Géorgie par les Persans, le vice-roi Chanavas Khan avait dû se faire mahométan pour pouvoir régner comme les seigneurs désireux d'obtenir des offices à la Cour. Mais le peuple, de rite grec, résistait à l'occupant en vendant du cochon et du vin dans les rues et en démolissant les mosquées en construction. Dans les campagnes, les femmes refusaient de porter le voile.

Tiflis était une belle ville, blottie au pied d'une montagne où étaient accrochées des maisons, et traversée par le fleuve Cyre.

Les capucins avaient la liberté de pratiquer leur culte. Ils soignaient aussi le roi, qui les couvrait de présents. Ce beau vieillard de quatre-vingts ans prétendait devoir sa robuste constitution au vin qui avait remplacé le lait dans son enfance. Le père supérieur le disait charmeur, mais doté d'une effronterie insoupçonnable. Sa Majesté savait que j'étais en ville avec une magnifique collection de joyaux. Il me fallait lui présenter mes civilités et obtenir une escorte pour libérer Antoine. Ma démarche était risquée.

Vittorio préféra se rendre au palais tout seul. Ses onguents contre les rhumatismes et ses baumes parfumés pour les femmes séduisirent Chanavas, qui le nomma chef de ses médecins le jour même. Il lui dit que le pays entamait une semaine de réjouissances et qu'il voulait donner un festin en l'honneur du joaillier de Soliman, son suzerain.

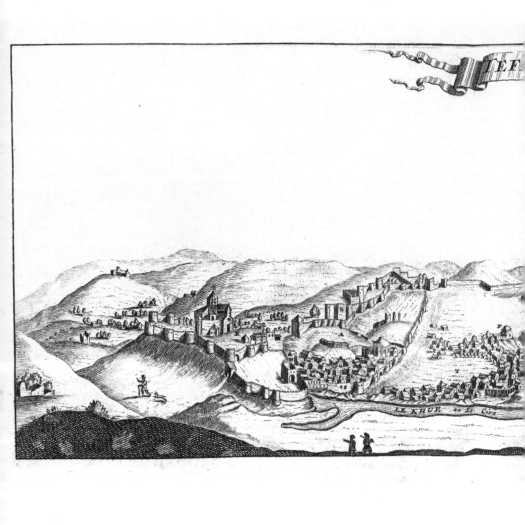

LE KHUR au le Cire

A . La Forteresse
B . L'Evêché nommé Sion
C . Le Monastere du Pacha
D . Ste Croix
E . L'Eglise et le Palais du Catholicos
F . L'ouvrage blanc ou l'Eglise de la Revh
G . L'ouvrage neuf
H . L'Eglise de Megnay
I . L'Eglise de Bethleem
K . L'Eglise de la Rupture
L . La Mosquée
M . Les Capucins
N . Le Palais du Prince
O . Le Grand Bazar
P . Les Magasins Publics
Q . Le Palais du Viceroy de Caket
R . Le Iardin du Prince
S . La Place du Prince
T . La Place d'armes

Vue de Tiflis, capitale de la Géorgie. Sur la gauche, les maisons sont accrochées à la montagne au dessus du fleuve.

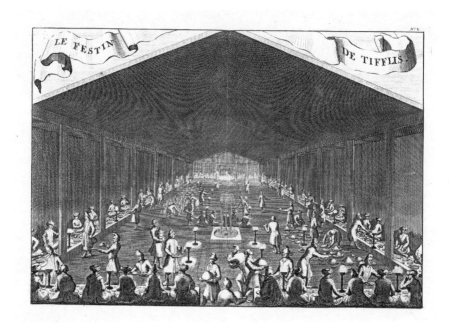

Banquet à la Cour de Géorgie.

Dans les pays du Caucase, les étrangers étaient perçus comme des envoyés de Dieu, mais n'étaient pas toujours traités comme tels. Je pris peur mais ne pouvais reculer.

L'ancien théatin m'accompagna à la forteresse qui dominait le fleuve. Assis sous un dais de brocart d'or et d'argent, entouré de ses fils, Chanavas me reçut dans le salon d'apparat où des cheminées diffusaient une agréable chaleur. D'apparence fort civile, il avait le teint frais et les traits réguliers. Quand je lui fis ma révérence, il baisa mes lettres patentes, obnubilé par le miroir en cristal de roche et argent que je lui offrais. À son sourire, je compris que j'étais le bienvenu. Autant dire que je restais sur mes gardes.

Le banquet commença vers cinq heures de l'après-midi sous la conduite d'un maître de cérémonie. On nous régala de pâtés, de quartiers de biche et autres viandes arrosés de vins fins, servis dans des cornes de rhinocéros cerclées d'or, qu'il fallait vider prestement. Les Géorgiens aiment boire et chanter pour prouver à leurs hôtes que personne ne tient mieux l'alcool qu'eux. Je n'étais pas en situation de rivaliser. La sobriété était ma meilleure protection.

En fin de soirée, Sa Majesté me fit conduire dans un salon feutré où des volières d'oiseaux exotiques étouffaient les confidences. Les trophées de chasse accrochés aux murs me rappelèrent l'inquiétante occupation des dignitaires de la région. J'eus l'impression d'être à nouveau tombé dans un piège.

Quand Chanavas vint me rejoindre, nous prîmes place dans des fauteuils en fourrure d'astrakan. Se penchant vers moi, il déplora sur un ton de chattemite l'état de la Cour de Perse. Les étrangers y étaient mal vus, le trésor royal était vide et Soliman n'aimait pas les pierreries. Ses propos confirmaient ceux du grand astrologue et ceux des Arméniens rencontrés dans le Caucase. Mon visage s'assombrit.

– Ce n'est pas pour t'affliger que je te tiens ce discours, précisa-t-il, mais pour que tu ne perdes pas l'occasion de vendre tes joyaux. Si tu m'offrais un prix raisonnable, je pourrais t'en acheter pour quelques milliers d'écus.

Au moins les choses étaient claires. Ma réponse le fut également.

– Seigneur, lui dis-je en cachant mon indignation, vous comprendrez que j'apporte ces pierreries à Soliman sur son ordre et ne peux les soumettre qu'à ses yeux.

Chanavas connaissait les usages. Si son outrecuidance était rapportée au cruel roi, elle lui vaudrait le châtiment suprême, aussi poursuivit-il ses flatteries à l'adresse de ce puissant monarque, boussole de l'Univers, à qui la Perse devait ses jours les plus glorieux tout en égrenant un chapelet de jade, plus destiné à faire des calculs qu'à invoquer les Noms de Dieu.

Le moment était venu de parler de mon associé et des bijoux, en grand danger chez les Théatins. Comme il désirait sans doute se les approprier, il appela le général Démétrius, dont la résistance à l'alcool prouvait son courage à affronter l'ennemi, en lui intimant l'ordre de partir pour Sipias. Il mit également à mon service l'un de ses plus fidèles officiers pour me conduire à Erivan. Je dois avouer que j'étais heureux de m'éloigner de la Cour.

Pendant une dizaine de jours, nous parcourûmes à cheval une plaine enneigée où la réverbération du soleil nous brûlait les yeux de sorte que nous devions porter un fin mouchoir sur le visage. Gricha, un jeune Géorgien, m'évitait les péages et les douanes, cherchait les maisons les plus confortables pour m'accueillir. Aux étapes, il me racontait des histoires en jouant de la musique. Il me permit d'avoir une autre vision des habitants de la région. On se rapprochait de la Perse.

Le caravansérail d'Azéris était situé sur la route de Tabriz, près du monastère des Trois-Églises qui attirait de nombreux pèlerins de rite orthodoxe. Des moines simoniaques y vendaient à prix d'or des huiles saintes et de prétendus morceaux de la Croix du Christ. En arrivant dans

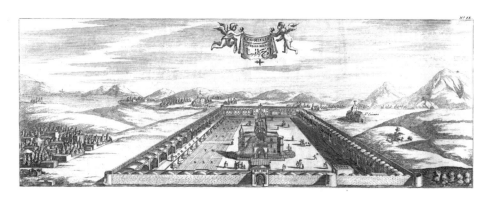

Monastère des Trois-Églises, connu pour ses reliques.

cette hôtellerie, j'espérais avoir reçu du courrier. Aucun voyageur ne survivrait sans ces liens d'affection et d'amitié qui franchissaient lentement les distances certes, mais nous épargnaient solitude et mélancolie.

Des sacs de lettres m'attendaient, que j'ouvris le cœur battant, ignorant si elles m'apporteraient joie ou tristesse. Certaines nouvelles, bonnes ou mauvaises, tombaient sans que l'on y soit préparé. Il fallait en assumer le choc, comme ce fut le cas lorsque j'appris que mon père avait décroché la belle enseigne de mon grand-père et fermé notre Maison. L'intolérance et les persécutions religieuses l'avaient ruinée. Et je ne pouvais consoler mes parents qui avaient perdu, et leur fils et leur raison de vivre. Mon père souffrait de tuberculose et je n'étais pas assuré de le revoir un jour. Je passai une semaine entre pleurs et cauchemars.

Quelques jours plus tard, en regardant les ombres glisser sur le mont Ararat, je repensai à mes conversations avec Mirza Chéfy. Rien ne m'empêchait de suivre la voie qu'il m'avait indiquée. Pour lui, il n'y avait plus haute ambition que celle de transmettre son savoir et de se mettre au service des autres en devenant « passeur du monde ». J'avais hâte de travailler à ses côtés à l'heure où le soleil donnait une si belle couleur aux tentures de sa bibliothèque.

Mais il me fallait attendre Antoine. Les jours passaient dans l'anxiété. Un matin, un grand vacarme se fit entendre dans la cour du caravansérail. Un groupe de cavaliers venait d'arriver. Mon compagnon se trouvait parmi eux. Antoine, que je craignais de ne plus revoir, était bien là. Je m'habillai à la hâte pour courir à sa rencontre et tomber dans ses bras, en remerciant Dieu de l'avoir sauvé avec nos bijoux.

Son visage s'était émacié et son teint avait jauni comme s'il souffrait d'un ictère. Il était méconnaissable. Depuis que je l'avais quitté, les pluies diluviennes de l'hiver s'étaient abattues sur la Mingrélie, inondant le sol et détrempant les forêts. Il vivait enfermé dans sa chambre.

La nourriture et l'humidité le rendaient malade. Et anxieux au point de ne plus oser consulter son talisman.

Dès que le beau temps fut de retour, les gardes de la princesse réapparurent. Après avoir fouillé les masures et saccagé le jardin potager, ils firent irruption dans l'église pendant l'office, exigeant du père Zampi qu'il me livre à eux. Celui-ci répondit que j'avais regagné la Perse. L'un des hommes ayant suggéré que je devais me cacher dans le sépulcre, ils s'y précipitèrent tous et le profanèrent, emportant le bien des théatins qu'ils n'avaient pas encore volé.

Certains continuèrent à rôder sur le chemin de ronde, puis disparurent. Un silence de mort tomba alors sur la forêt, plus effrayant encore. Antoine se demandait si la princesse s'était lassée, si elle poursuivait d'autres victimes ou si elle fourbissait ses armes. Il trompa l'ennui et l'anxiété en replantant le potager avec les esclaves et en préparant des médications. Il se voyait condamné à vivre à perpétuité en Mingrélie. Et à y mourir.

Nous reprîmes la route avec un groupe d'officiers qui rentraient à Ispahan. J'espérais revoir Haroun Aly à Tabriz. Lorsque nous nous étions séparés, il disait vouloir demeurer en ville afin de veiller sur ses manufactures de soie et sur ses femmes, laissées trop souvent seules dans sa vie de nomade.

Je me rendis à son atelier près de la Mosquée bleue. La porte était entrouverte. Je le cherchai du regard parmi les artisans qui glissaient leurs navettes dans un métier à tisser avec une nonchalance toute persane. Un vieil homme m'apprit que l'ancien caravanier était reparti. On le disait en Chine pour acheter de la soie. Comme la plupart des voyageurs, il avait connu les plaisirs de l'existence vagabonde et ne pouvait en goûter d'autres.

Nous ne nous attardâmes pas en ville, où des seigneurs venaient nous souhaiter la bienvenue, en multipliant flatteries et supplications pour obtenir des joyaux à bas prix.

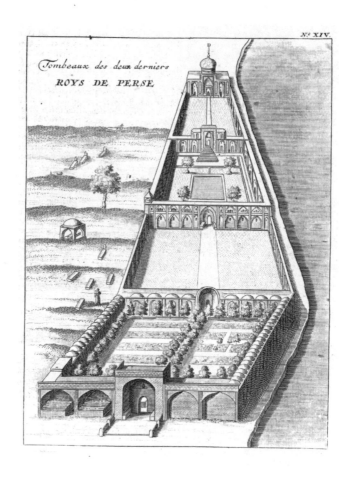

Tombeau de Séfy Ier et d'Abbas II à Kom.

La Maison d'or, mausolée de Shah Abbas II.

Après une halte à Casbin, nous arrivâmes à Kom, la ville sainte. La coupole d'or du tombeau de Fatima, la petite-fille d'Ali, brillait aux premiers rayons du soleil. La mosquée était sacrée. On traversait trois cours dont les portes étaient couvertes de lames d'argent. Je voulus rendre hommage à Shah Abbas, qui était inhumé là. Faisant valoir mes lettres de marchand de considération, j'obtins l'autorisation d'y pénétrer sous l'étroite surveillance d'un mollah.

Sa dépouille reposait dans un mausolée où les brocarts, les voûtes et les lampes étaient en or. À quoi lui servait maintenant tout cet apparat ? Plus important était le souvenir d'un prince tolérant qu'il avait laissé aux étrangers. Comme le chemin d'Ispahan serait plus agréable si ce roi magnifique nous attendait dans le pavillon des Quarante-Colonnes, désireux d'admirer les joyaux qu'il avait dessinés de sa main !

Le lendemain, après le souper de quatre heures, nous repartîmes vers Cachan, redoutée pour ses scorpions dont nous n'avions rien à craindre puisque, selon les Persans, qui ont le sens de l'hospitalité, ils ne piquaient pas les étrangers ! Dans quatre jours, si tout allait bien, nous retrouverions « la Rose fleurie du Paradis ».

La rose fleurie du paradis, à nouveau

C'était la fin du printemps. Le ciel était cristallin au-dessus des brunes collines d'Ispahan. Les dômes bleus des mosquées dominaient les platanes et les peupliers qui n'avaient jamais été aussi verdoyants. On ne pouvait que s'étonner de l'opulence d'une cité caravanière aussi éloignée de la mer, îlot luxuriant au milieu du désert. Les chameaux, que les Persans appelaient navires de terre, étaient chargés de melons et de pistaches. Des convois entiers attendaient aux portes. Je me réjouissais de revoir tous ceux qui faisaient d'Ispahan une ville de plaisirs et de lumières.

Nos chevaux semblèrent nous conduire tout seuls sur le pont des Trente-Trois-Arches, puis sur l'avenue des Quatre-Jardins, bordée de buissons de roses. Tout était calme. Sur la place Royale, rien ne semblait avoir changé. Des femmes voilées déambulaient avec des enfants. Les Ispahani palabraient à l'ombre des platanes ou jouaient aux échecs, comme si nous les avions quittés la veille. Nous nous sentions chez nous.

À la mission, les gardes postés à la grille coururent prévenir le père Raphaël, qui vint à notre rencontre, suivi des autres capucins tout heureux de nous revoir. Seul Paul, le laïque, avait quitté la communauté. Il était parti à la découverte de l'Asie. Colportant des sachets d'herbes odorantes, il avait lui aussi repris la vie de voyage.

Après nous avoir serrés contre lui, le père Raphaël nous confia qu'il ne fréquentait plus la Cour.

– Je ne peux vous y introduire, dit-il d'une voix désabusée, car je n'y connais plus personne. Certains ministres sont morts, d'autres ont été écartés. La faveur est tombée entre les mains de jeunes seigneurs, compagnons de débauche de Soliman, qui n'ont aucune considération pour les chrétiens et sont peu soucieux des intérêts du royaume.

Grâce à Dieu, le *nazir*, le chef des orfèvres et le prince de l'Eau avaient conservé leur charge. Le prévôt des marchands, lui, s'était converti à la religion de Mahomet. Les mollahs prétendaient qu'il avait eu la révélation alors que ses motifs étaient plus prosaïques : il avait préféré souffrir les affres de la circoncision plutôt que de renoncer à sa charge au cas où les infidèles seraient interdits de commerce dans le pays.

Pour notre malheur, la *Duchesse légitime* avait rappelé le Premier ministre, exigeant qu'il remette de l'ordre dans les finances du royaume. Tant que le roi continuerait à puiser dans le trésor, les étrangers seraient les premiers à en faire les frais.

– Il ne nous reste qu'à espérer la clémence de Dieu, soupirai-je.

Les Persans concluaient ainsi des délibérations difficiles, pour qu'Allah donne le succès à des affaires en mal de réussite.

À la fin du repas, le père Raphaël demanda à me parler comme s'il avait quelque chose sur le cœur à me dire. Nous sortîmes marcher dans le jardin au milieu des grenadiers en fleurs. Soudain, il s'arrêta pour m'annoncer sans ménagement :

– Votre ami, le seigneur Mirza Chéfy, est mort…

Le sol se déroba sous mes pieds et je me laissai tomber sur un banc, la tête entre les mains.

– Ce n'est pas possible ! Une récente lettre d'Hisham m'assurait qu'il se portait bien. Que lui est-il arrivé ?

– Il se serait éteint la nuit, comme une lampe privée d'huile, il y a peu de temps. Personne ne connaît les raisons de sa disparition. D'après sa famille, il n'était pas malade.

Le religieux avait rencontré Mirza Chéfy à la Cour du temps de sa splendeur et en conservait un souvenir ému. En voyant mes larmes, il essaya de me consoler.

– Son fils Shazdeh souhaite vous parler. Cela vous fera du bien d'évoquer la mémoire de son père.

– Je n'en ai pas le courage pour le moment. Plus tard…

Quand il se retira discrètement, je ressentis un grand sentiment d'injustice et pleurai mon ami, comme j'aurais pleuré mon père. Cet interminable voyage m'avait empêché de le revoir. Je l'aimais et le respectais comme un maître, même si, pour lui, un maître était celui qui apprenait de ses élèves. Il disait que les contes distillaient leur sagesse pour faciliter l'éveil de la conscience. L'un d'eux me revint en mémoire.

« Autrefois, sur une petite place à Chiraz, un géomancien était penché sur sa tablette en bois poudrée de sable fin. Il dessinait les constellations, interrogeait la Lune et le Soleil, présageait l'avenir. Quand tout était dit, bon ou mauvais, il secouait sa planche. Le sable s'envolait, emportait au vent dessins, étoiles, ciel et Terre. Ne restait rien de ce qui fut, plus rien qu'une tablette nue. »

J'eus l'impression d'une œuvre inachevée, demeurée en suspens. Mon retour à Ispahan n'avait plus de sens. Sans ses connaissances et ses documents, il m'était impossible de travailler à l'histoire de la Perse à laquelle je ne cessais de songer. La voie restait ouverte, mais j'avais perdu mon guide. La tablette du géomancien était à nouveau nue.

J'étais bouleversé, désemparé et sans désirs. Avant d'entamer des négociations qui s'annonçaient difficiles, j'avais besoin de réflexion et de solitude. Les étrangers étant toujours relégués à Djoulfa, je demandai au prévôt des marchands si je pouvais m'installer en ville.

Femme de haut rang voyageant dans un bassour, sorte de palanquin,
en compagnie de femmes voilées et d'eunuques.

– Les marchands de considération sont les hôtes du roi, me répondit-il. Le *nazir* te fera choisir l'un des palais que Soliman a reçus en héritage ou à la suite de confiscations.

– Votre proposition m'honore mais je n'aurai pas l'usage d'un palais quand je serai seul avec mon valet et un ou deux esclaves.

Agha Piri eut l'air étonné. D'ordinaire, ceux que le souverain avait distingués recherchaient des demeures splendides, dignes de leur rang. Elles n'étaient jamais assez somptueusement décorées, ni assez proches du palais royal.

Néanmoins, il promit de me satisfaire. Quand il revint me voir, il était souriant.

– J'ai une habitation qui devrait te convenir. Si elle te plaît, elle sera à toi le temps que tu voudras rester à Ispahan.

Nous partîmes la visiter aussitôt.

Je le suivis le long du Zenderoud où nous empruntâmes une ruelle que je connaissais bien car elle conduisait vers la maison de Shirine dont les volets étaient clos. Elle paraissait inhabitée. L'un des grands platanes avait été coupé en deux par la foudre et le sentier était envahi d'herbes folles.

– Je croyais que Mademoiselle était revenue de son pèlerinage.

– N'avez-vous pas appris qu'elle a été assassinée ? répondit le marchand, stupéfait que j'ignore un tel événement. Elle a été tuée par la passion qu'elle a toujours suscitée.

À son retour de La Mecque, elle avait renoncé à vivre dans le péché et se contentait d'enseigner à de jeunes personnes les belles manières qui avaient fait sa fortune. Un soir, elle refusa d'ouvrir à de jeunes débauchés sur lesquels sa beauté exerçait une grande fascination. Quand ils firent irruption à l'intérieur, elle donna un coup de poignard au premier qui l'approcha, mais les autres tirèrent leurs épées… La maison avait été confisquée par le roi, comme l'exigeait la coutume.

J'imaginais son corps magnifique emporté dans un linceul de lin où étaient inscrits ces vers du poète Hafez qu'elle chantait en s'accompagnant de son luth :

« Mon cœur espérait tant s'unir avec le tien
mais la mort a coupé la route de la vie. »

J'hésitai à vivre dans une maison hantée par un drame qui me touchait profondément, mais, quand j'y pénétrai, j'y retrouvai d'heureux souvenirs. Le salon était toujours meublé aussi voluptueusement. Le bois de santal semblait brûler dans les cassolettes d'or. Les boudoirs célébraient toujours le culte de l'amour. Shirine, elle aussi, m'avait fait entendre la musique du cœur du monde.

En proie au doute et à la tristesse, je ne résistai pas au charme d'un lieu qui m'avait séduit par le passé. Un jardinier redonna vie au jardin en remettant les rosiers et les jasmins en état. L'eau de la fontaine coula à nouveau et les oiseaux revinrent. L'on repeignit la grille de l'entrée et celle qui donnait sur le jardin d'à côté, dont je ne m'expliquai pas qu'elle soit toujours ouverte. Sans les lumières de Mirza Chéfy, je me sentais incapable d'écrire. La belle courtisane pourrait être ma muse.

La comédie des négociations

Le nazir connaissait le jour et l'heure de notre arrivée, le nombre de nos coffres, mais il nous ignorait, d'autant plus désireux d'affirmer son pouvoir qu'il en avait moins. Il se vantait autrefois d'être mon ami, il me traitait maintenant comme un vendeur de babouches.

Affecté par la disparition de Mirza Chéfy, je vécus en solitaire tandis qu'Antoine préparait son départ. Ce temps me fut précieux pour surmonter mes deuils. Me sentant mieux, j'eus envie de partager ma tristesse avec Hisham. Ce n'était plus un lettré. Son esprit était toujours vif, mais il l'appliquait à faire prospérer son commerce. Il n'avait plus de temps à m'accorder.

Le prince de l'Eau, lui, était à nouveau resplendissant. On le soupçonnait d'être le pourvoyeur du sérail impérial. Lors de ses tournées en province, il recherchait de jeunes vierges que les familles étaient fières d'envoyer au roi, quitte à faire enlever les récalcitrantes. Je l'interrogeai sur l'état des finances royales afin de savoir si Soliman avait les moyens d'acheter nos bijoux.

– Cela m'étonnerait, répondit-il. Les temps n'y sont pas favorables. Mais on ne sait jamais… Tout se décide au sérail.

Selon lui, il suffisait que l'une de ses favorites désire un bijou pour que le souverain s'empresse de l'acquérir. Autrefois, les shahs de Perse étaient parmi les monarques les plus riches au monde. Ils recevaient les contributions des provinces ainsi que des denrées comme de la soie, des perles, des turquoises et du tabac. Leur fortune s'augmentait des confiscations et des tributs dont s'acquittaient les non-musulmans désireux d'être protégés. Soliman ne se souciait toujours pas des affaires du royaume.

Il n'y avait pas de peuple plus fin et plus divertissant que les Persans. Même les gens simples faisaient preuve de raffinement et d'aisance. Ils étaient d'un commerce agréable jusqu'à ce que l'occasion se présente de traiter quelque affaire d'intérêt. Alors leur âpreté au gain les poussait à la mesquinerie et ils étaient capables de tout pour obtenir ce qu'ils voulaient. Avec Shah Abbas, son père, les négociations n'avaient pas traîné. Nos bijoux lui plaisaient, il les avait achetés. Sans manière.

Le *nazir* laissa le temps s'écouler plusieurs jours avant de nous convier en son hôtel. Le costume soyeux de ses esclaves et le luxe des murs, peints à la feuille d'or, témoignaient de la dignité d'un prince qui bénéficiait encore de la faveur royale.

– Vous êtes de retour, Dieu soit loué! s'écria-t-il en nous donnant l'accolade.

Il nous accueillit avec effusion et nous fit servir un repas comme les Persans en offraient à ceux qu'ils voulaient bien traiter, charmer ou berner. Toutes sortes de riz pilau défilèrent sur des plateaux de laque. De délicieuses limonades accompagnèrent des coupes de dragées. Pas la moindre parole ne fut échangée pendant ce festin que Negef Coulibec voulut interminable pour éprouver notre patience.

À la fin, il nous interrogea sur notre voyage, s'informa des découvertes des savants, des guerres de Louis XIV avec la Hollande avant de s'enquérir de la disposition des États chrétiens envers la Perse. En réponse à ses questions, j'évoquai la splendeur du château de Versailles afin de piquer sa curiosité. Il fit mine de s'y intéresser, alors qu'il avait seulement l'esprit au commerce.

Le jour où je lui remis le mémoire des bijoux, il le parcourut sans le moindre commentaire, puis se retira en décrétant qu'il était attendu chez le roi.

Lorsque la comédie des négociations commença, Hossein Pacha nous accueillit avec bien des compliments dans une pièce étouffante aux lourdes tentures. En Perse, on se flatte mutuellement en se souhaitant beaucoup de bonnes choses. Après seulement, on peut se consacrer aux affaires en adoptant des manières moins policées.

Le choix des estimateurs révéla l'esprit de friponnerie du ministre. Des joailliers persans, arméniens et indiens de la Place royale avaient été convoqués pour évaluer des montres qu'ils ne savaient pas fabriquer et des boîtes peintes à l'émail dont la plupart ignorait la technique.

Assis face à nous, ils étaient figés et aussi inexpressifs que de vieilles statues délavées par la mousson. Le *nazir* arriva plus tard, en compagnie de la seule personne que je redoutais ici : Mirza Baker, le chef des astrologues. Que venait-il faire dans cette négociation ?

Il devait m'en vouloir d'avoir survécu aux épreuves du voyage, car ses prédictions avaient été contredites par les événements. S'il aimait l'argent, je doutais qu'il eût des connaissances en joaillerie et qu'il veuille servir ma cause. Sa jalousie et sa perfidie pourraient même nous empêcher de conclure notre affaire.

Dès que le ministre fut installé à mes côtés, des esclaves apportèrent nos bijoux dans un grand bassin d'or, qu'ils déposèrent au milieu de la pièce. En un clin d'œil, je vis qu'il manquait les ouvrages les plus beaux et les plus chers : les poignards, l'horloge peinte de fleurs émaillées et le miroir incrusté de saphirs.

– Comme Votre Seigneurie peut en juger, dis-je en me tournant vers lui, ce que nous voyons là ne correspond pas à ce qui est inscrit sur le mémoire. Sans doute s'agit-il d'une méprise.

– Je dois t'avouer que c'est tout ce que Sa Majesté a retenu.

Sur ce les estimateurs s'exclamèrent :

– Un regard du roi apporte la chance.

– De plus, le sabre et le poignard ne sont plus à la mode dans ce pays, précisa le *nazir*.

– Tout ce que le roi veut n'est qu'une preuve de sa gloire et de sa grandeur! reprit l'assemblée en chœur.

Sentant la colère monter, je rappelai à Negef Coulibec que ces joyaux avaient été dessinés par Shah Abbas lui-même et que les modes ne changeaient pas vite en Orient. Sa réplique fut cinglante :

– Qu'en sais-tu, toi qui n'as fait que traverser notre pays à cheval!

Les Persans usent de la flatterie et des reproches avec beaucoup d'art et d'insinuation. On avait quitté le ton policé de la veille et la séance pouvait commencer. Chacun donna ses estimations à l'abri des regards. Cachées sous un mouchoir ou un pan de robe, les mains indiquaient un chiffre par la position des doigts. Un jeune scribe le notait sur ses tablettes qu'il transmettait au chef des orfèvres.

En une après-midi, les merveilles de notre maison avaient perdu la moitié de leur valeur. Cet écart était censé prouver que nous voulions voler le roi. Le *nazir* conclut, les lèvres pincées :

– Je vais remettre les évaluations au souverain et lui présenter requête à votre sujet.

– Je vous en rends toutes les reconnaissances dont je suis capable!

C'était ce qu'il fallait répondre dans un pays où la gratitude n'était pas la vertu la mieux partagée dans les relations de commerce.

Negef Coulibec se retira avec Mirza Baker, suivis des joailliers. Pour la première fois, j'imaginai que nos biens pourraient être confisqués par le roi. L'aimable Hossein Pacha nous pria de revoir nos prétentions à la baisse afin que Soliman puisse acquérir ces joyaux avant de prendre ses quartiers d'été. Si nous n'acceptions pas son offre, nous risquions de tout perdre!

J'osai lui parler avec franchise.

– Il semblerait que les estimations ne tiennent pas compte de l'excellence du poinçon de Paris et du coût d'un voyage de vingt-deux mois.

Il me fit comprendre qu'il n'avait pas d'autre liberté que celle d'obéir à son maître. Comment lui en vouloir? Néanmoins, je n'hésitais pas à lui demander les raisons de la présence du grand astrologue.

– Quand il prétend être l'envoyé du roi, répondit Hossein Pacha, personne ne peut refuser sa présence. De toi à moi, quand il est là, je ne laisse plus parler ma langue!

Ironie du sort ou comble de perfidie, quelques jours plus tard, l'intendant du roi me pria d'estimer les pierreries que Sa Majesté avait reçues lors de la réception des ambassadeurs. Il me mit dans l'embarras : si je les évaluais trop haut, les envoyés auraient à payer des sommes importantes aux officiers du roi, trop bas, et leurs cadeaux mécontenteraient le souverain. Et l'on pourrait me faire des reproches. Pour ne pas commettre d'impairs, je pris conseil auprès d'Hossein Pacha, à qui j'offris une boîte à pilules d'opium émaillée afin de m'en faire un allié.

Le testament de Mirza Chéfy

À l'heure où le Grand Bazar ouvrait, les charrettes trop chargées ne se croisaient plus dans l'allée centrale où les bazari qui s'invectivaient avaient déclenché des bagarres. Plus loin, j'eus du mal à me frayer un chemin au milieu des bonimenteurs qui vantaient toutes sortes d'élixirs.

– Pour l'amour d'Allah, que me vaut l'honneur de ta visite ? s'écria Hisham, étonné de me voir de si bon matin.

– Peux-tu confier l'échoppe à ton commis ? J'ai à te parler.

Il acquiesça sans conviction, car il n'aimait pas s'éloigner de son commerce, surtout l'été quand les ventes d'amulettes étaient florissantes.

Nous montâmes sur la terrasse de la Maison de café où nous prîmes place à l'abri des oreilles indiscrètes. Le vieux serviteur nous apporta du thé à la cardamome avec un discret sourire de bienvenue. Les larmes aux yeux, mon ami commença par m'avouer qu'il n'avait pas visité Mirza Chéfy autant qu'il le désirait et n'avait appris sa mort que fortuitement. Je m'en doutais. L'heure n'était pas aux reproches mais aux confidences.

Après avoir regardé autour de nous si personne ne nous écoutait, je lui confiai être sous le coup de l'émotion depuis que j'avais reçu la visite du fils de Mirza Chéfy. J'avouai que leur ressemblance m'avait impressionné. Ses mots m'avaient ému. Il m'avait parlé de l'attachement de son père pour moi. Mon admiration pour la Perse le touchait profondément.

Hisham se montra alors sévère vis-à-vis de Shazdeh.

– C'est un brillant mathématicien qui raisonne avec son intelligence mais ne sent pas avec le cœur. Il venait rarement rue des Mûriers, sans doute redoutait-il d'être associé à la disgrâce paternelle.

Les larmes embuaient mon regard.

– Il m'a pourtant parlé d'une manière touchante de la soirée qu'ils avaient passée, la veille de son départ pour l'université de Bagdad. Une bien triste soirée d'adieu.

D'après ce qu'il m'avait dit, son père avait l'impression de trahir la Perse en vantant la gloire des safavides dans ses écrits. Prêter de la grandeur à Shah Soliman était un supplice pour un sage qui avait la passion de la Vérité. Ne supportant plus ces travaux imposés, il décida d'en finir.

Malgré son grand âge, le sage avait conservé un esprit malicieux. Pour se défaire de ses geôliers, il leur avait joué la comédie en prétextant ne plus pouvoir manier le calame à cause de ses rhumatismes.

Ce soir-là, avant le départ de son fils, il avait allumé derrière la maison un feu dans lequel il jeta les feuilles de son histoire officielle du règne de Soliman qu'il n'avait pas remises aux gardes pour ne pas laisser de traces. En voyant s'envoler ses mensonges en fumée, il souriait comme s'il avait recouvré sa dignité. Shazdeh disait qu'il semblait éprouver un grand soulagement.

– Ses gardes auraient pu le dénoncer, fit Hisham.

– Certes, le seigneur était étroitement surveillé et les étrangers qui le visitaient aussi, mais il se moquait de ce genre de frayeur. Au moment où Shazdeh prenait la caravane pour Bagdad, son esclave le découvrit mort, allongé sur le sofa de sa bibliothèque, les mains croisées sur un recueil de poèmes.

– L'esclave ne s'est-il aperçu de rien ?

— Non, il dormait au fond du parc. Mirza Chéfy ne portait aucune trace de coup ou de blessure sur le corps.

— Il désirait tant que nous écrivions ensemble une histoire de Soliman, plus proche de la réalité, que je ne peux croire qu'il ait mis fin à ses jours avant mon arrivée. Il a peut-être été empoisonné. Les hommes du chef des astrologues rôdaient souvent autour de chez lui.

Hisham me regarda d'un air sidéré.

— Penses-tu qu'ils aient pu concevoir un crime ?

— En faisant tuer Mirza Chéfy, était-ce moi qu'ils visaient ? L'horrible Mirza Baker m'a souvent menacé, comme tu le sais.

Nous restâmes un moment à regarder les nuages gris qui survolaient la place. La mélancolie me serrait le cœur. Après avoir hésité, je me risquai à d'autres confidences, en reprenant l'histoire dès le début.

— Peu après ma première visite, notre ami refusait déjà de se plier à ce qu'on lui imposait. À la nuit tombée, après avoir tiré les tentures de sa bibliothèque, il s'adonnait à ce qu'il appelait ses « considérations personnelles ». Il reprenait ses écrits du matin sous un autre jour et les rangeait ensuite dans un coffre caché dans sa bibliothèque. Ces documents, vois-tu, Shazdeh me les a remis à la demande de son père. Tu ne peux pas savoir comme j'étais heureux qu'il ait mêlé aux siens la teneur de nos conversations et mes premières relations. C'est le cadeau le plus beau, le plus émouvant que j'aie jamais reçu.

L'émotion me coupa la parole.

— Il y avait aussi une lettre qui m'était adressée, repris-je. Elle semblerait apporter la preuve qu'il se sentait menacé. Veux-tu l'entendre ?

Hisham fit « oui » de la tête.

« À l'ami venu de loin. Nous avons accompli ce que nous avons pu accomplir. Ce qui reste à faire, il t'appartient de le faire. Nos pensées continuent à vivre chez ceux qui nous ressemblent. La mort ne brisera pas le lien qui nous attache. »

En m'écoutant, le visage de l'ancien mollah s'assombrit. J'ignorais s'il était triste ou vexé de ne pas avoir été choisi à ma place, alors je le consolai :

— Si tu étais resté un lettré, il t'aurait préféré.

Il se frotta les yeux avec le mouchoir qu'il portait à la ceinture comme tous les Persans.

— Je ne le crois pas. Tout de suite, j'ai senti votre complicité. Mirza Chéfy était un soufi. Il savait voir au-delà des apparences, car il avait la perception des autres. Te souviens-tu de ce que je t'avais dit en sortant de chez lui ?

— Oui et j'y pense souvent : « Un sage vous aide à accéder à la conscience de votre dignité et à devenir ce que vous êtes sans le savoir. »

Après une pause, il reprit la parole.

— Ces documents sont très compromettants. As-tu pensé à ce qui arriverait si quelqu'un les découvrait chez toi ?

— Ils sont en lieu sûr, répondis-je en préférant lui mentir. Parfois je me sens suivi. Il m'arrive aussi de croiser l'un ou l'autre des astrologues de Mirza Baker et surtout son horrible nain.

— C'est un faiseur d'histoires, un voleur dont il faut se méfier. Il s'introduit partout, dans les entrepôts, dans les maisons. Avec sa taille, il peut même se cacher derrière des rouleaux d'étoffe !

— Tu as raison. Ces précieux documents pourraient causer ma perte, mais il me faut tenir mes promesses. Surtout si la voie désignée par le maître permet de trouver son accomplissement.

Alors qu'il m'écoutait attentivement, je tins à préciser :

— Je ne sais même pas si je serai capable d'écrire un livre. Quelques notes prises sur mes carnets de voyage ne font pas de moi un historien !

J'avais l'impression qu'il avait l'esprit ailleurs et devenait fébrile en réalisant qu'il pourrait être perçu comme mon complice si l'on nous surprenait ensemble.

— Peut-être devrais-tu emporter le portfolio en Europe pour écrire là-bas et te protéger ? proposa-t-il soudain.

– Veux-tu que je m'en aille après t'être réjoui de mon retour ? Il me faudra partir un jour pour respecter mes engagements. J'ai promis au seigneur de faire imprimer la chronique du règne de Soliman dans mon pays afin que la grandeur de la Perse soit révélée au monde.

Hisham saisit la première occasion, l'appel à la prière, pour retourner à son échoppe.

– Surtout ne parle à personne du dossier Soliman, dit-il en me quittant. Sois prudent, n'oublie pas notre proverbe : « Donnez un cheval à celui qui dit la Vérité, il en aura besoin pour s'enfuir. »

– Écoute ce que l'on dit de moi au bazar et informe-moi, je t'en prie, des rumeurs qui pourraient me concerner.

Il me lança un sourire complice.

Notre conversation m'ayant mis mal à l'aise, je regrettai mes confidences. Comme le dit un dicton persan : « Celui qui confie un secret l'a déjà perdu. »

L'ordre régnait dans la maison de Shirine où je retournai. Benoît faisait la sieste. Mes esclaves aussi. La présence du portfolio dans mon coffre me parut rassurante.

En fin d'après-midi, je sortis sous la tonnelle de jasmin. Je m'agenouillai sur le tapis en écoutant la symphonie d'Ispahan, la rumeur lointaine de la Place royale, une cavalcade sur les rives du fleuve. J'aimais les soirées d'été, au moment où « la Rose fleurie du Paradis » exhalait tous ses parfums.

Les manigances de l'intendant des biens du roi

Pendant plusieurs jours, la ville resta assoupie sous la canicule. Les Ispahani se blottissaient à l'ombre des maisons. Personne ne hâtait le cours du temps et ne sortait sans nécessité. Lorsque les négociations reprirent, je passai des heures à pousser la contestation avec le *nazir,* m'étonnant qu'un ministre du premier ordre perde autant de temps en manœuvres indignes de son rang. Il m'obligea à me défendre, ce que je fis maladroitement en disant que nos joyaux avaient suscité l'admiration des orfèvres de la Couronne en France.

– Veux-tu insinuer que les nôtres ne sont pas capables de les estimer? demanda-t-il d'une voix agacée.

Au lieu de me congédier, comme je le redoutais, il me retint à souper en compagnie du chef des orfèvres au palais Ali Quapu. L'air était brûlant. Les viandes en sauce trop épicées. J'étouffais. À la fin du repas, il eut un sourire de connivence pour essayer de me convaincre.

– Sois raisonnable. Tes prétentions m'empêchent d'agir en ta faveur auprès du roi.

Affichant un air serein un peu forcé, je répliquai que le coût de nos biens avait été calculé en fonction des dépenses engagées pour les mettre en œuvre et les mener à bon port. L'argument déplut. Il hocha la tête et se retira sans un mot.

Hossein Pacha caressa ses moustaches en me réconfortant.

– *Agha* Chardin, mes yeux ont été émerveillés par l'excellence de tes ouvrages mais j'ai dû les estimer selon le cours qu'ils ont en ville. La ruine du commerce a diminué de moitié la valeur de la pierrerie.

Dieu que sa dépendance vis-à-vis du *nazir* m'exaspérait! Comme lui, je n'avais d'autre liberté que celle d'obéir à son maître.

Depuis ma conversation avec Hisham, je fréquentais moins la Maison de café et, chez Shirine, je sursautai au moindre bruit. Un matin que je lisais sous la tonnelle, mon valet m'apporta un pli que je décachetai fébrilement. Il s'agissait d'une nouvelle invitation du *nazir*. Je m'y rendis en pensant que tout n'était peut-être pas encore perdu.

Nous fumâmes le *kalyan* dehors sur une natte, en une intimité que nous n'avions jamais partagée. La petite musique de la fontaine était apaisante. Soudain, il retira de ses lèvres le bec de sa pipe à eau.

– Nous éviterions les discussions si tu acceptais d'échanger tes bijoux contre des marchandises que nous tenons dans les magasins du palais.

– Et quelle est la nature de ces biens?

– Des turquoises de vieille roche d'un bleu profond, des diamants transparents comme ceux du Paradis et des tapis de soie, doux comme la peau de l'enfant qui vient de naître. Tu ferais là une bonne affaire!

Décidément, son naturel décelait un trésor de ruses inépuisable.

Abasourdi par son audace, je répondis avec une rage mal contenue :

– Je crains que mes associés n'apprécient pas d'être compensés de leur mise de fonds en tapis persans!

Mon ironie fut interprétée comme un crime de lèse-majesté.

– Puisqu'il en est ainsi, le chef des orfèvres va te remettre tes bijoux, mais rappelle-toi que tu es la cause unique de tes malheurs!

D'un geste sec, il déchira le mémoire, me traita de fils de chien et tourna les talons. L'on me remit mon cheval à la grille et je me rendis chez les capucins pour prévenir Antoine que les discussions étaient rompues et que nous ne vendrions sans doute rien au roi.

Le père Raphaël me recommanda à nouveau la patience. Selon lui, les Persans aimaient les palabres et trouvaient les étrangers trop agités. Il proposait de prier pour notre succès.

De retour chez moi, j'eus des accès de fièvre et des maux de ventre. Benoît courut demander aux capucins de venir me soigner, mais c'est Antoine qui vint à mon chevet pour me transmettre les vœux des religieux qui ne souhaitaient pas fréquenter la maison d'une ancienne courtisane.

Informé par la rumeur ou par ses espions, le *nazir* m'envoya le lendemain l'un des médecins du roi. Ses attentions n'avaient rien de surprenant. Ce mélange d'habileté et de gentillesse était destiné à me désorienter.

Le jeune savant prit mon pouls et observa mes urines en disant d'une manière énigmatique :

– C'est Dieu qui donne la santé !

Ce n'était pas rassurant. Dans ce pays, les médecins s'en remettent à une autorité supérieure pour ne pas être tenus responsables de la mort de leurs patients. Il ne nomma pas la maladie, mais conseilla de l'eau de saule pour calmer la fièvre et du riz cuit dans du lait d'amande. Matin et soir, son apothicaire me jetait des seaux d'eau fraîche sur le corps et me frictionnait à l'eau de rose.

J'ignorais si le traitement était salutaire. En tout cas, il était agréable. Les potions réveillèrent mon tempérament affaibli. Dès que je le pus, je rendis visite à Hossein Pacha pour lui demander pourquoi son maître m'avait si mal traité.

– Ne te soucie pas de cela, notre ministre a mâché de l'ordure ! Tu vendras s'il plaît à Dieu !

Les Persans évacuent leur colère par des jurons. Ils manient les injures avec autant d'aisance que les compliments, mais les oublient à peine les ont-ils prononcées.

Comme le *nazir*, le chef des orfèvres touchait un pourcentage sur ce qui se vendait à la Cour, aussi désiraient-ils tous en finir avant d'accompagner Soliman dans le Mazandaran pour l'été.

— Tu dois accepter ce que nous te proposons. Vu l'état du trésor royal, tu ne peux espérer mieux.

Je fis les comptes avec Antoine. Nous devions nous montrer conciliants. Vingt-cinq pour cent de profit, c'était finalement ce que nous avions reçu de Shah Abbas pour nos bijoux. Ces négociations interminables étaient aussi stériles qu'épuisantes. Nous n'avions plus de courage, ni envie de jouer la comédie. Chacun songeait maintenant à ses propres affaires. Nous retournâmes au palais où le ministre paradait comme un personnage de Molière dans un vêtement brodé de grosses fleurs d'argent.

— Quel bonheur de vous revoir! s'écria-t-il en nous serrant tour à tour sur son cœur.

À la fin des compliments, le chef des orfèvres s'adressa à lui en ces termes :

— Monsieur le Surintendant des biens du roi, je donne votre parole à l'*Agha* Chardin pour trois cent mille ducats d'or avec un habit royal, en paiement des pierreries que Sa Majesté prend de lui.

Redevenu un vrai Persan, amusant et plein de fantaisie, Negef Coulibec me prit par le bras :

— J'ai été obligé de me conduire ainsi avec toi pour l'avantage du roi que j'ai l'honneur de servir. Si j'avais agi autrement, j'aurais pu être chassé de la Cour.

En rentrant à la maison de Shirine, j'éprouvai un grand sentiment de liberté. Ayant rempli mon contrat avec mes associés, je pouvais me consacrer enfin à l'œuvre de Mirza Chéfy. Comme je ne trouvai pas le sommeil, je grimpai sur la terrasse. L'été, la vie continuait sur les toits, éclairés par des centaines de lampes à huile. L'air était doux, embaumant l'odeur du jasmin. Je ne me lassais jamais du mystère des nuits persanes entrecoupées de bruits lointains, de chuchotements ou d'éclats de rire.

La musique qui montait du jardin d'à côté me sortit de mes rêveries. En me penchant au-dessus du parapet, j'entrevis à la lumière d'un photophore la silhouette de jeunes personnes, vêtues de chemises légères qui fredonnaient des chansons, assises sur une natte. J'imaginai leurs visages aussi agréables que leurs voix.

Voilà que j'imitais les Persans en cherchant à surprendre les femmes dans l'intimité de leur jardin! De simples ombres enflammaient leur imagination. Ils restaient là des heures, jusqu'à leur disparition.

Les disciples d'Ali jugeaient naturel de laisser s'exprimer les passions du cœur. Sans doute Mahomet aurait-il eu moins d'adeptes s'il ne leur avait pas laissé entrevoir un jardin d'Éden où ils jouiraient de vierges éternelles, les épouses du Paradis.

Quand les jeunes femmes disparurent, je descendis dans ma chambre où la tour à vent diffusait d'agréables courants d'air. Je dois avouer que mes voisines avaient allumé le feu en moi. Galien avait raison. Dans certains pays, le climat a une telle force que la morale n'y peut rien. Je m'allongeai sur les coussins où j'avais vécu tant d'instants de volupté avec Shirine et m'endormis avec mes rêves.

Emblème des shahs de Perse.

L'audience du shah de Perse

Je m'étais détaché des diamants, non pas que je les considérais comme de simples pierres – ils étaient toujours à mes yeux ce que la nature produit de plus beau –, mais parce que les honneurs et les richesses ne m'attiraient plus.

Nous étions convenus qu'Antoine, avant de s'embarquer pour les Indes, remettrait les sacs de ducats d'or à l'un des capitaines de la Compagnie royale qui les acheminerait vers la France au départ de Bander Abassi. Mes associés recevraient leur dû et mes parents pourraient quitter le pays si la situation des huguenots devenait intolérable. Huit ans avant la révocation de l'Édit de Nantes, nous espérions la fin des persécutions, même si les nôtres étaient plus nombreux à passer les frontières. Certains en étaient réduits à coudre des pièces d'or dans leurs manteaux pour survivre en Angleterre ou aux Pays-Bas.

La vente de quelques pierres me permettrait de vivre simplement à Ispahan. En attendant de connaître le sort qui me serait réservé en France, je relaterai le début du règne de Soliman et son rocambolesque second couronnement, si l'inspiration me venait.

Pour le moment, la séparation avec Antoine m'attristait profondément. Il allait me manquer. Si je l'avais trouvé ennuyeux et triste avec sa grosse perruque et son costume noir lors de notre première rencontre, je m'étais attaché à lui. Pendant huit ans, nous avions vécu et réussi ensemble.

Depuis ses mésaventures à Sipias, il paraissait fragile, parfois absent, souvent étrange. Dénué de malignité, il n'était pas armé pour affronter les aventuriers auxquels il ne cessait de penser. D'ailleurs, il ne comprenait pas qu'en multipliant les séances de divination, il ne décelât dans son talisman qu'un sombre destin.

Le jour dit, je l'accompagnai aux portes de la ville, la gorge nouée. Il refusa d'écouter mes dernières recommandations. En le voyant s'éloigner avec son muletier et son valet vers la caravane, j'aurais voulu lui faire un dernier signe, mais il ne se retourna point. Nos liens étaient plus forts que je ne l'imaginais. J'eus alors le sentiment que, malgré nos promesses, nous ne nous reverrions plus.

Après son départ, je tournai autour du portfolio de Mirza Chéfy sans oser m'en approcher, comme si Hisham m'avait communiqué son appréhension. Les menaces qui pesaient sur moi me paralysaient et m'enlevaient tout désir. Les étrangers étaient toujours surveillés ici. Si je restais sans rien faire, je ne manquerais pas d'éveiller les soupçons. Mes ennemis, certains fanatiques religieux et la clique du grand astrologue, pourraient imaginer que j'étais un espion.

Une mission à la Cour m'était donc indispensable pour me protéger. C'est ainsi que je m'inspirai de l'étude sur le commerce de François Bernier et décidai d'en proposer une semblable à Soliman. Comme son père, le souverain espérait le soutien des États chrétiens, inquiets eux aussi de la puissance ottomane qui dominait encore une partie de l'Europe. Il croyait qu'une alliance avec la France impressionnerait les Turcs ainsi que le Grand Moghol.

Pendant des semaines, personne ne s'était intéressé à nos joyaux, mais aujourd'hui toutes les épouses et concubines désiraient un bijou portant le poinçon de Paris. Negef Coulibec voulait faire de moi l'un des orfèvres du roi et alla jusqu'à m'offrir des diamants et un bel atelier dans un palais.

Cet honneur m'aurait comblé quelques années plus tôt, quand j'étais désireux de fortune et de gloire. En outre, la Cour de Soliman n'avait pas la grandeur ni le raffinement de celle de Shah Abbas II. Le prince de l'Eau lui-même assurait que la Perse entamait son déclin. J'étais maintenant différent, plus réfléchi, plus contemplatif.

À près de trente ans, je refusai de m'enfermer dans des relations brillantes, susceptibles de m'attirer autant de faveurs que de désagréments. Encore fallait-il exprimer mes désirs au *nazir* de façon à ne point déplaire et à ne pas m'attirer la vindicte d'un monarque connu pour sa cruauté.

En septembre, une audience me fut accordée avec le roi à Cachan. À l'entrée du parc j'enlevai mes bottes poussiéreuses, enfilai une chemise fleurie et des mules à petits talons dans le pavillon de toile prévu à cet effet. La tête surmontée d'un beau turban bleu cendré, je suivis l'officier qui portait mon présent, un sablier rempli de sable irisé d'or. Nous marchions à l'ombre des platanes au milieu des iris et des rosiers alors qu'à quelques lieues de là il n'y avait que des cailloux et des scorpions. L'atmosphère était fraîche. De l'eau coulait dans des canaux en émail turquoise, alimentés par les sources et les *canats* souterrains dont le prince de l'Eau avait toujours la charge.

Un lévrier afghan à ses pieds, Sa Majesté conversait avec son ministre. Dès que ce dernier m'aperçut, il courut vers moi, le sourire aux lèvres :

– As-tu trouvé le temps agréable ? demanda-t-il, la main sur le cœur.

– Il ne s'est mis au beau qu'au moment où j'ai été introduit dans le parc, répondis-je en adoptant le langage fleuri des Persans qui contribue au charme des conversations.

Le shah, que j'approchais pour la première fois, ne portait pas d'aigrette de diamants, emblème du pouvoir suprême. Il était simplement vêtu, en robe de chambre. Alors que je m'attendais à un être falot et

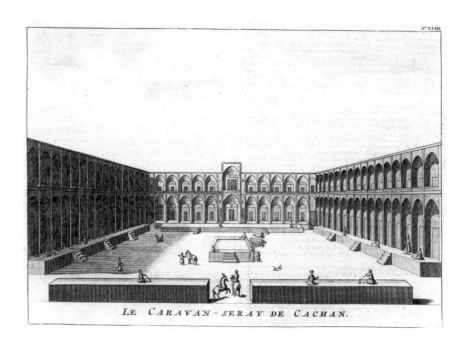

LE CARAVAN-SERAY DE CACHAN.

Le caravansérail de Cachan.

abîmé par la débauche, je fus surpris de son naturel. Ses traits ne manquaient pas de finesse, mais ses yeux étaient impassibles comme ceux du caïman.

Après de courtes salutations, je remis mon présent à l'un de ses officiers. Negef Goulibec me complimenta en me rappelant son offre, d'une manière si alambiquée qu'il me fut facile de la décliner. Je n'en étais pas digne.

— Monsieur le Ministre, le plus humble des étrangers vous prie d'être son intermédiaire auprès de Sa Seigneurie afin de l'autoriser à la servir en me dévouant à la Perse d'une autre manière.

Le silence fut tel que l'on aurait entendu le frémissement de l'air. Craignant d'avoir été insolent, je baissai les yeux vers les paons qui faisaient la roue autour de nous. On m'invita à m'expliquer.

— Sire, le roi de France m'a chargé d'une mission de la plus haute importance auprès de Sa Grandeur... Louis XIV, que nous appelons le Roi-Soleil, a annoncé à sa Cour que Shah Soliman était le plus grand roi d'Asie. Il en tenait pour preuve que l'emblème des shahs de Perse comporte trois soleils et deux lions, symboles de la lumière et de la force.

Negef Goulibec me jeta un regard intrigué.

— Le contrôleur général des Finances Colbert, continuai-je plus à mon aise, m'a commandé un mémoire sur le commerce, afin d'envisager un rapprochement entre nos deux royaumes.

Sentant que la proposition agréait, je précisai que le négoce serait la manière la plus sûre d'établir des relations profondes et durables avec Louis XIV. La vogue des soies, des brocarts, des turquoises et des tapis serait ainsi lancée de sorte que les courtisans du futur château de Versailles se voudraient tous persans.

Ayant sans doute remarqué un accord imperceptible du roi, le *nazir* m'applaudit en déclarant que les manufactures royales étaient prêtes à m'accueillir nuit et jour, afin de me faciliter la tâche.

Mon affaire se présentait bien. D'ordinaire, Shah Soliman ne s'adressait pas à ses obligés, mais, ce jour-là, il se montra naturel comme son père l'était avec moi dans le Mazandaran. Il me félicita sur la manière dont je maniais la langue du pays, puis il se retira en m'adressant un salut amical.

Le ministre me raccompagna jusqu'à la grille du parc.

– Te voilà notre ambassadeur à la Cour de France. Le souverain saura te récompenser à la hauteur de tes mérites.

J'exultai tout en rougissant de mes mensonges. En prétendant servir Soliman avec ce mémoire, je tenterais de rétablir la Vérité sur son règne. Pour accomplir l'œuvre de Mirza Chéfy, il me faudrait trahir sa confiance et celle de son ministre.

La belle écriture

Ispahan était un enchantement pour qui n'avait plus le souci des affaires. On me voyait aller et venir à cheval dans les rues, précédé de Benoît portant mon écritoire, alors que je feignais de rédiger mon mémoire. Lors de ma tournée aux Manufactures royales, je passais du temps au *ketâbkhâneh*, la Maison des bibliothèques, où les maîtres calligraphes réunissaient autour d'eux les métiers du livre. Relieurs, doreurs et peintres réalisaient les plus beaux manuscrits. La tradition voulait que les rois y fassent copier les plus grandes œuvres pour affirmer leur prestige et encourager la transmission du savoir.

Mirza Chéfy m'avait initié à l'écriture *naśtaliq*, appréciée pour ses belles formes incurvées, ses pleins et ses déliés, en me demandant d'imiter les lettres qu'il traçait devant moi. Il me disait que cet art de longue patience apprenait à dépasser ses limites et à surmonter la peur de l'échec. Bien qu'illettré, le prophète Mahomet affirmait que, dessinée d'un calame ferme, la calligraphie faisait éclater la Vérité.

J'eus envie de m'y remettre sans savoir si je parviendrais à la maîtriser. Après avoir préparé mon encre en mêlant de la poudre de noix de galle et du charbon pilé dans de l'eau, je taillai un roseau de couleur ambrée à la belle polissure qui faisait office de plume d'oie et biseautai sa tranche. Si mon calame était trop dur, il déchirerait la feuille, trop tendre, l'encre coulerait. Les beaux papiers me plaisaient. Je les collectionnais. Mon préféré, en coton mêlé de soie, avait été lissé par des polissoirs de verre.

La technique m'était connue, mais je n'en maîtrisais pas l'art. Mes tentatives étaient maladroites. J'avais du mal à écrire à rebours, mes doigts, pleins d'encre, noircissaient la feuille. Alors que mes premiers essais me désespéraient, les encouragements de mon maître me revinrent en mémoire.

« C'est le cœur qui conduit la main. Tes lettres doivent être porteuses du souffle juste. Imagine le mouvement de va-et-vient de la navette qui tisse le texte de ligne en ligne. Abandonne-toi à la beauté du geste, à la volupté de l'arrondi ! »

Le fil de l'écriture pourrait me conduire vers l'œuvre que je ne parvenais pas à commencer. Je voulais être calligraphe, historien, mais, sans inspiration, je n'étais rien. J'avais besoin d'un maître et je n'en avais plus. Ma vie était suspendue à une ambition irréalisable. Mes désirs étaient contradictoires. J'avais envie de plaisirs, j'avais l'impression que je ne pourrais jamais être à la hauteur de la tâche et surtout peur d'être surpris par l'un des gardes du roi ou du grand astrologue.

Dernièrement, j'avais croisé celui-ci chez les joailliers de la Place royale. Bien qu'absent à Cachan, ce qui m'avait surpris, il savait tout de mon audience puisqu'il m'avait demandé si mon mémoire sur le commerce progressait. Mes succès à la Cour continuaient à l'irriter. Pendant qu'il me parlait, son nain brandissait sa badine menaçante, comme il le faisait chaque fois qu'il croisait ma route.

Mirza Baker avait la folie des grandeurs et recherchait de l'or pour le nouveau palais qu'il se faisait bâtir sur l'avenue des Quatre-Jardins. Pour recevoir de l'argent, il multipliait les prophéties en disant la bonne aventure à tous les seigneurs qui, connaissant sa malignité, acceptaient. Mes refus le rendaient fou. Il cherchait toujours des opportunités pour nous critiquer devant Soliman, plus faible et plus influençable que son père. Le mot que vous prononciez était une arme qu'il retournait perfidement contre vous.

Un jour que je m'exerçais à la calligraphie dans le jardin, je fus troublé par des cris en provenance de la maison voisine. Je montai sur la terrasse. De là, j'aperçus les trois jeunes filles qui pleuraient et criaient comme des possédées en déchirant leurs vêtements et se frappant la poitrine. « Mère, mère, pourquoi nous as-tu abandonnées? »

Je savais qu'elles étaient les esclaves d'une princesse, fille d'un gouverneur dont le palais à Casbin était renommé pour sa bibliothèque. Leur maîtresse, qui venait de mourir, leur avait légué ses biens et les avait affranchies. Le deuil dura plusieurs jours. Quand le calme revint, j'envoyai Benoît s'informer de leur état. Elles lui répondirent qu'il était bon et que son maître serait le bienvenu s'il leur faisait l'honneur de les visiter. Leur invitation m'excita au plus haut point. Dieu est amour et favorise la rencontre des amants, répétait Jafer Khan.

Me présentant chez elles, je fus accueilli avec beaucoup d'égards par Maryam, une grande brune bien prise, au teint de miel, qui allait sans voile, en chemise et pieds nus. Ses origines persanes se reconnaissaient à son abondante chevelure noire et à ses sourcils qui se rejoignaient sur le front sans recours à l'artifice.

– Plût à Dieu que vous vous sentiez chez vous ici! s'écria-t-elle en me prenant la main.

Samira et Thamar, qui nous rejoignirent, rivalisaient de grâce. Aucune des trois n'avait plus de vingt ans. Le visage clair de Thamar était rehaussé par une longue chevelure d'or. Son charme était celui des Circassiennes, de celles qui avaient régné sur le cœur des rois. L'Abyssinienne Samira était attirante avec sa peau couleur de réglisse, mais elle était muette, ce qui ne l'empêchait pas d'être gaie. Elles m'entraînèrent sur les coussins où leur maîtresse aimait à fumer le *kalyan* et écouter leurs histoires. Les tentures de lin se soulevaient dans les courants d'air. Des fleurs diffusaient leur parfum. L'instant portait à la volupté.

Lors de la collation, elles m'offrirent du thé, des petits pains au pavot et des mouchoirs de soie pour mes ablutions. Devenu plus intime, je leur demandai ce qui leur valait leur triste condition.

La Persane venait du Khorasan, mais avait été abandonnée trop jeune pour s'en souvenir. Samira avait été enlevée pendant une guerre tribale. Quant à Thamar, elle avait été vendue par ses parents sur le célèbre marché d'Isgaour.

– Nous voulons rester ensemble, dit celle-ci, nous sommes sœurs maintenant.

Joaillier du roi… Mon ancien métier me valut bien des questions. Mes aventures dans le Caucase m'avaient laissé de mauvais souvenirs. S'il me restait quelques joyaux, j'affirmai ne plus avoir de quoi réaliser la moindre bague. Curieuses, mes voisines s'intéressèrent alors aux femmes de France, me demandant si elles vivaient dans des harems, sortaient voilées, avaient des esclaves.

Elles éclatèrent de rire en entendant qu'elles portaient un corset et plusieurs jupes, la modeste, la friponne et la secrète. Et se piquaient des mouches de velours sur leur visage blanchi à la céruse. La passionnée se posait près de l'œil, la coquette au-dessus des lèvres.

– Seigneur, seigneur, s'écrièrent-elles en m'entourant au moment où je m'en séparais, nous espérons que n'avez pas trouvé notre compagnie désagréable et que vous reviendrez.

Je le promis de bon cœur avant de repasser par la petite porte du jardin. À les voir si gaies et si délicieuses, je me demandai si elles n'étaient pas les jeunes personnes auxquelles Shirine avait appris l'art d'aimer au retour de son voyage à La Mecque. Cependant, je les jugeai trop naturelles pour être des courtisanes.

Galien disait que les tempéraments et les mœurs suivaient la qualité du climat. C'est pourquoi les Persans avaient l'amour de l'amour. Pour eux, les plaisirs n'étaient pas des péchés comme pour les calvinistes.

Dans ce pays, l'aiguillon de la chair se faisait sentir plus qu'ailleurs et il n'était pas souhaitable d'y résister. Jafer Khan affirmait même que l'on pouvait en tomber malade. L'austérité de ma vie me pesait, il est vrai. Il me fallait exprimer ma sensualité, trop longtemps retenue.

Au fil de mes voyages, j'avais élaboré une éthique assez libre, mieux adaptée à la vie orientale. Elle consistait à pratiquer la justice, à faire le bien, mais sans se priver des plaisirs. Le soir, je m'allongeai dans ma chambre, cherchant à savoir laquelle de ces jeunes femmes avait ma préférence.

Plan de coupe d'une mosquée.

Le temps des plaisirs

Le charme d'Ispahan résistait aux saisons. Malgré le froid, la ville gardait son climat sec et la luminosité du ciel à qui elle devait son nom de « Rose fleurie du Paradis ». Les mosquées bleues n'étaient jamais aussi grandioses que sous la neige. Les arts correspondaient à mes humeurs du moment, mais j'attendis que la neige fonde pour poursuivre ma tournée au *ketâbkhâneh* avec Fathali, le chef des peintres, un Persan raffiné dont le visage mystérieux ressemblait à celui des princes représentés sur les miniatures.

Accoutumés aux grands tableaux avec des perspectives, nous autres Occidentaux étions d'abord surpris par ces petites images plates, touffues, encombrées de personnages, d'arbres, d'animaux ou autres objets symboliques. Pourtant, elles dégageaient un charme indéniable.

L'ensemble exprimait un mélange de légèreté et de tragique, appelant les êtres humains emportés par un destin inexorable à profiter de l'instant. Les mondes enchanteurs suggérés par le pinceau séduisaient par les nuances infinies de leurs couleurs et par leur beauté apaisante. Ils invitaient à une forme de réflexion, de sagesse. Leur signification n'était pas toujours évidente pour les étrangers.

Elles servaient d'illustrations aux grandes œuvres de la littérature persane, notamment aux manuscrits du *Livre des Rois,* si précieux qu'ils étaient réservés au roi ou à la Cour. Le chef des peintres se chargea de mon initiation en me faisant visiter l'atelier des illustrateurs. Il ouvrait sur le jardin afin de capter la luminosité ambiante. Comme il ne fallait pas troubler leur concentration, il me dit à voix basse :

– Ils sont en méditation pour tenter de représenter le reflet de la beauté de Dieu sur la Création.

Le plus célèbre d'entre eux s'appelait Hamzam et appartenait à l'école de Tabriz. La tête surmontée d'un turban blanc, il était assis dans la position du copiste, les jambes croisées, la feuille posée sur une planche appuyée contre son genou. Penché au-dessus du vélin, il faisait glisser son pinceau sans que les couleurs coulent, comme si la main de Dieu le tenait suspendu. Fathali le disait animé d'un souffle puissant.

Et il en fallait du souffle pour évoquer les sentiments de personnages mesurant moins de cinq centimètres et suggérer le divin qui était en eux. Comme la calligraphie, cet art permettait, selon Mirza Chéfy, d'acquérir la perception des autres. Les artistes ne peignaient pas de portraits. D'après Fathali, la question de la ressemblance était dénuée de sens puisque les mahométans ne représentaient pas les visages. Ils se contentaient de suggérer des images et des impressions. Il me vint alors une idée. Si Hamzam représentait mes voisines, peut-être saurais-je si elles étaient dignes d'être aimées.

Lorsque je le rencontrai, je lui exprimai mes désirs. Je lui dis que j'aimerais montrer la beauté des vêtements persans dans mon pays, en prenant mes amies pour modèles. Il me répondit qu'une œuvre nécessitait beaucoup de temps et qu'il n'en peignait pas plus d'une dizaine par an. Je crus à un refus jusqu'à ce qu'il précise :

– Ta demande semble venir du plus profond de toi et je vais la satisfaire, si tu sais dominer ton impatience.

Mes voisines furent fières de symboliser l'élégance persane dans la lointaine Europe. Elles jouèrent le jeu sans manières. Hamzam passa du temps avec elles dans leur jardin, puis s'enferma dans son atelier.

Quelques semaines plus tard, il m'apporta une poche de soie fermée par un cordon d'argent d'où il sortit une image qu'il posa sur le coffre de Shirine.

– Regarde-la avec l'œil du cœur, recommanda-t-il.

La miniature était fort éloignée de ce que j'avais imaginé. Il y avait des buissons de roses, des cerisiers en fleurs, des ifs et des arbres tourmentés. De petits nuages assombrissaient le ciel. Des oiseaux étaient poursuivis par un aigle menaçant dont le bec était semblable au profil du chef des astrologues.

Au bord d'un ruisseau, dans une atmosphère propice à la rêverie, les jeunes femmes ne ressemblaient en rien à mes voisines. Assise sur un rocher, celle qui pourrait être la blonde Thamar chantait en s'accompagnant d'un luth. Une autre dansait avec grâce et la troisième mordait à pleines dents dans une grenade, le fruit de l'amour. Une carafe signifiait le plaisir, une fleur pouvait évoquer l'amour ou le temps qui passe. Un prince avançait vers elles une coupe à la main. Je rougis en pensant qu'Hamzam avait décelé mes désirs et m'invitait à savourer l'instant.

C'est ainsi que mes amies entrèrent dans ma vie avec simplicité.

La sensualité de l'Abyssinienne avait ses charmes. La générosité de Maryam était touchante alors que la froideur apparente de la Circassienne cachait le feu qui brûlait en elle. Elles ne se contentaient pas d'avoir des manières raffinées, elles étaient aussi formées aux belles lettres. Maryam avait lu les traités de médecine et Thamar les légendes du Caucase. Le soir, elles jouaient de la musique pendant que les coupes circulaient à la lumière des bougies. Leurs voix mêlées au son du luth m'émouvaient autant qu'elles m'excitaient. Elles incarnaient différents visages de la femme sans que je puisse dire celui qui avait ma préférence.

Alors que je caressais ses cheveux d'or, la Circassienne se montra la plus audacieuse : « Je t'aime, dit-elle un soir, mais tu n'en souffleras mot à personne, pas même à ton oreiller. »

Elle devint ma favorite dans le grand lit en bois des Indes de Shirine. Parfois, elle m'accueillait dans leurs bains aux mosaïques, m'enduisait d'onguents aromatisés ou m'aspergeait d'eau de rose. On avait raison de dire que les massages étaient les plaisirs les plus voluptueux d'Orient. Au sortir de l'étuve, nous nous étendions sur un matelas de soie pour prolonger nos caresses. Les autres n'étaient pas jalouses, pensant que leur tour viendrait.

Pour les voir sourire, je leur offrais des pierres serties en broches, des fleurs en émail et des bijoux de parures, réalisés par les artisans français d'Ispahan. Je leur fis exécuter des tours de perles qu'elles passaient sous le menton pour attacher leur voile quand elles sortaient.

En me sentant libre d'être moi-même et de vivre en harmonie avec mes désirs, j'éprouvais une certaine allégresse. Prenant note de mes impressions pour en conserver, si ce n'est la maîtrise, au moins le souvenir, je me laissais aller à l'immoralisme nonchalant de mes amis d'Ispahan, misant sur la mansuétude divine. Serais-je devenu persan ?

Les nouvelles d'Antoine

Sous prétexte d'accomplir mon étude sur le commerce, je partis dans la région du Fars avec l'équipage du prince de l'Eau. Il était l'un des rares dignitaires autorisés à cultiver des vignobles, mais, comme les autres, il n'avait le droit que de produire une quantité limitée de vin. Celui de Chiraz était le plus apprécié de tout l'Orient. Les Persans lui prêtaient des valeurs médicinales pour en boire sans se sentir coupables.

Le prince avait une cave pour la magnificence. Nous y descendions lorsqu'il proposait de soigner nos maux de tête! Les bouteilles, bouchées avec de la cire et du coton, étaient nattées de paille pour éviter la casse. Au frais, nous buvions en refaisant le monde. Mon hôte avait peu de scrupules à braver les interdits du Prophète, comme j'oubliais peu à peu les principes de mon éducation austère.

Pendant qu'il inspectait les canaux souterrains de la région, je partis pour Persépolis en compagnie de Guillaume Grelot. Ce dessinateur français vivait à Constantinople. Je l'avais connu dans la caravane de Tabriz, lors de mon premier voyage. À ma demande, il reproduisit plusieurs paysages et monuments de la Perse. Si j'arrivais un jour à écrire, le succès de mes livres viendrait des illustrations, pensais-je.

Grelot croqua les vestiges des palais qu'Alexandre le Grand n'avait pas réussi à détruire entièrement. Ses frises de Persépolis sont d'une finesse et d'une précision remarquables.

Pendant qu'il travaillait, je demeurais assis sur un rocher qui dominait le site. Protégé du soleil par l'ombrelle d'un esclave, j'imaginais la splendeur de la Cour de Darius. Par ses dimensions grandioses, cette métropole antique, située dans un décor minéral luminescent, chantait encore la gloire du *Shahin Shah*, le roi des rois. L'esprit soufflait dans cette vaste plaine silencieuse où l'on disait que les philosophies anciennes avaient transité avant de gagner l'Europe.

En attendant la fin de la tournée du prince pour rentrer à Ispahan, je m'attardais à Chiraz, une ville très agréable, située dans une plaine fertile, entre des montagnes d'où descendait une petite rivière qui arrosait des pâturages et de magnifiques haras. Je visitai les ateliers de céramique, d'argenterie et de kilims qui pourraient nourrir mon mémoire pour le roi. Mes notes prouveraient la réalité de mes recherches et m'éviteraient les ennuis.

Je descendis à la mission des carmes, aussi accueillants que ceux de Constantinople. L'un d'eux m'accompagna sur les tombes de ceux que Shirine appelait ses « frères de Chiraz », les poètes Saadi et surtout Hafez, son préféré. Au milieu de fusains, de cyprès et de fleurs d'oranger, le poète était enterré sous une dalle d'albâtre où étaient gravés des ghazals. Je répétai un vers que j'avais si souvent entendu sur ses lèvres : « Celui-là ne mourra jamais, dont le cœur ne vit que d'amour. »

Les arbres des jardins étaient parfois si grands que la plus longue arquebuse ne saurait atteindre leur cime. Les Chirazi attachaient des amulettes, des chapelets et des lambeaux de vêtements aux branches des arbres centenaires devant lesquels de saints hommes avaient fait leurs dévotions. Les malades venaient brûler de l'encens et faire des vœux

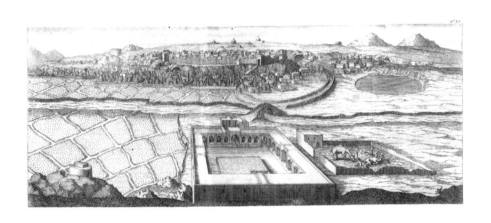

Sur la route d'Ispahan à Bander Abassi.

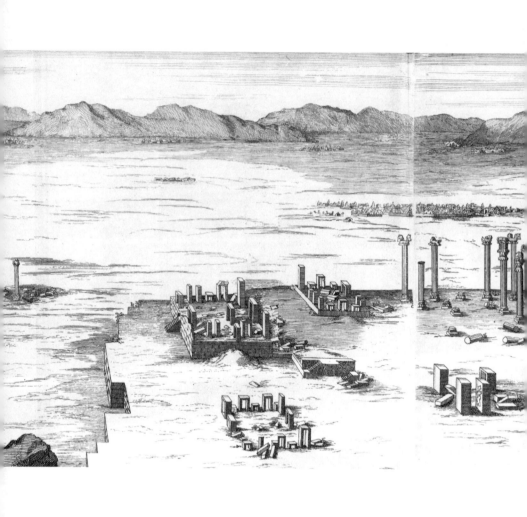

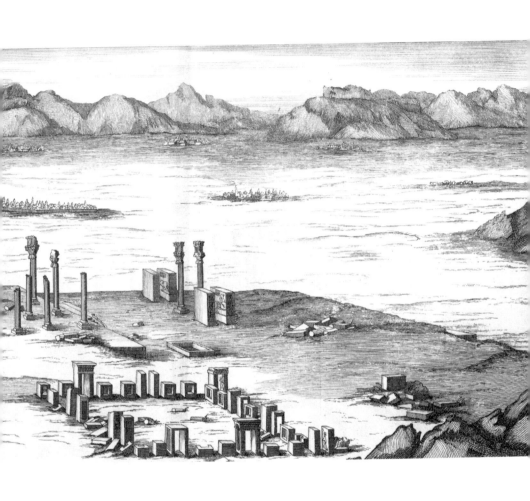

Vue générale de Persépolis, capitale achéménide, avant les grandes fouilles du XIXe siècle.

Sculptures monumentales sur le site de Persépolis.

pour recouvrer la santé. Tout ce qui relevait de la superstition me faisait penser à Antoine, étrangement silencieux depuis son départ pour les Indes, mais dont j'allais bientôt avoir des nouvelles.

Une lettre de François Bernier m'attendait en effet à mon retour à Ispahan.

« Quand j'ai revu ton ami, m'écrivait-il, il était enthousiaste et fier d'apporter les documents de l'alchimiste à la fameuse Hutuosa. Il resta sourd à mes remarques et à mes recommandations. Du jour au lendemain, il disparut sans donner signe de vie. Comme il avait prévu de retourner à Golconde, je ne m'en inquiétais pas.

« Or, j'ai reçu récemment à notre factorerie un jeune homme, un certain Darab, qui me raconta un drame dont il avait été témoin. Les prétendus Parsis dont nous nous méfiions à juste titre avaient empêché ton ami de retourner aux mines de diamants et l'avaient emmené dans la région de Surate, au bord de la rivière Tapi. La grande prêtresse, qui avait feint d'accorder grand cas à ses grimoires, avait décidé de l'épouser. Ignorant que les vrais Parsis ne se mariaient qu'entre eux, le naïf se laissa prendre à ses maléfices.

« La fête nuptiale se déroula au crépuscule, selon la tradition parsie au moment où le Soleil et la Lune se rencontrent. Les époux furent conduits sous un dais garni de coupes de fruits et de fleurs, censées éloigner les mauvais esprits. Entièrement vêtu de blanc, Antoine portait sur son front un signe représentant un rayon de Soleil alors qu'un point rouge symbolisait la Lune sur celui de sa future femme.

« Après qu'ils eurent pris place dans des fauteuils en osier, leurs mains droites furent jointes par une lanière de cuir pour évoquer les liens du mariage, Hutuosa répéta des litanies psalmodiées par des prêtres : "Le désir du Seigneur est la règle du Bien."

« Il ne restait plus qu'à honorer le feu. On fit prendre à Antoine du bétel, une drogue hallucinatoire qui lui rougit les lèvres et le fit vaciller.

Il avança en titubant vers le temple en branchages où brûlait la flamme sacrée de sorte que l'un de ses hommes fut obligé de le soutenir jusqu'à l'entrée.

« Darab entendit alors la sorcière lui demander où étaient cachés son or et ses diamants, lui disant qu'un époux devait mettre ses biens en commun avec sa femme. Le visage de ton ami irradia de bonheur. Nul doute que sa réponse la contenta puisqu'elle l'invita à la précéder devant la flamme.

« Au moment où il se prosterna, les gardes lancèrent leurs torches sur la ramée, qui s'embrasa en un éclair. Le malheureux fut brûlé vif par le feu que les vrais zoroastriens vénèrent comme la représentation du Dieu sage… »

Je ne pus retenir un cri d'horreur. Mon ami généreux et fidèle ne méritait pas une mort aussi horrible. Sa vie n'avait été qu'une suite de drames. Il n'avait pas trouvé le secret de la pierre philosophale ni l'élixir de longue vie censé rendre immortel. Il n'avait jamais connu le bonheur après lequel courent tous les hommes. Les diamants qu'il croyait magiques non seulement ne l'avaient pas protégé, mais l'avaient conduit à la mort dans les pires souffrances. Comme je le redoutais depuis notre première rencontre, Antoine avait été victime de ses croyances et de sa superstition. Bouleversé par ce meurtre, je me sentis coupable et pleurai en pensant que j'aurais pu le sauver en l'empêchant de se rendre seul aux Indes.

Le trésor d'Ali de Bagdad

La disparition de mon associé avait sonné la fin de ma vie de joaillier. Restant chez moi à ressasser ma tristesse et nos souvenirs, je retrouvai les morceaux du petit manuscrit de Mirza Chéfy que j'avais pieusement conservés, du moins ce qu'il en restait après le massacre des sauvages mingréliens. J'essayai de les recoller pour reconstituer le conte d'Ali de Bagdad. Si je l'avais écouté d'une oreille distraite, il me paraissait parfaitement approprié à mon destin.

J'entendais à nouveau le rire du mendiant se moquant de celui qui avait accompli des milliers de lieues pour chercher un trésor, qui était en fait chez lui, en lui.

– Quelle folie d'entreprendre un voyage sur la foi d'un songe !

Mirza Chéfy avait insisté en disant que ce malheureux Ali était victime d'un mirage. Il avait alors eu un petit sourire affectueux.

Il me semblait que j'étais, moi aussi, un imbécile. J'avais dû partir loin pour m'apercevoir que les richesses que j'avais convoitées et qui avaient motivé mes voyages n'étaient pas celles que je recherchais. Leur acquisition ne m'avait pas satisfait. Si les maîtres persans utilisaient des paraboles pour éclairer leurs disciples et leur montrer la voie, il fallait avoir l'esprit disposé à les entendre, et renoncer à son ego.

Ils recommandaient d'éliminer l'avidité matérielle et de cesser de se contempler soi-même pour s'ouvrir aux autres. L'écriture me le permettrait, si je dépassais les craintes qui me paralysaient.

Je me résolus enfin à sortir de chez moi. Mon statut de marchand du roi me donnant accès chez les Grands, je repris mes visites aux dignitaires avec lesquels j'avais lié connaissance et amitié. Le prince de l'Eau continua à m'informer sur la vie de la Cour. Je voyais régulièrement Hisham et les joailliers de la Place royale, qui m'entretenaient dans le souvenir d'Antoine. Les gens simples m'abordaient à la Maison de café où je fumais le *kalyan*.

La situation géographique de leur pays donnait aux Persans un tempérament spirituel et modéré, adroit et docile, disait-on. Ils avaient de l'esprit, de la vivacité et de la finesse. Leurs mœurs étaient douces et civiles. Ils étaient les plus raffinés de tous les peuples de l'Asie et ne cédaient point aux Européens en force et en souplesse d'esprit. Leur fréquentation me donnait envie d'approfondir leur histoire, même si je n'étais pas encore prêt pour la reconstituer.

Les semaines passèrent. Un matin, je fus réveillé de bonne heure par un violent orage accompagné de tonnerre. Le climat était connu pour la sècheresse de ses étés et la rareté de ses précipitations en hiver. C'était un événement exceptionnel. Lorsque j'ouvris la porte sur le jardin, la tempête me parut d'une beauté sublime et inquiétante avec ses éclairs de lumière. Plus tard, j'appris que le Zenderoud avait débordé et inondé cette belle allée qu'était le cours d'Ispahan, faisant s'écrouler des maisons de plaisance.

Ces intempéries me firent l'effet d'un choc. Je sentis la fragilité de la vie et l'urgence de remplir mes promesses. Une force irrésistible me poussa vers le dossier Soliman. En rejoignant mon écritoire, je n'avais plus ni peurs ni hésitations. Je préparai mes encres et taillai mon calame, puis traçai d'un trait ferme sur le vélin le titre de l'ouvrage :

Le Couronnement de Soliman III. Sentant que la Perse commençait à décliner de la puissance et de la gloire auxquelles elle était parvenue, Mirza Chéfy avait inlassablement recherché la Vérité.

Quand le livre serait achevé, j'irai voir le libraire-imprimeur Claude Barbin aux Galeries du Palais pour le faire publier. Marguerite de La Sablière en parlerait dans ses soirées à la Folie Rambouillet. L'ouvrage assurerait les conversations dans les salons et les académies. J'aurais rempli mes promesses vis-à-vis de Mirza Chéfy.

En prenant ma plume, je ne me demandai plus si j'étais capable d'écrire. Les mots coulaient aisément, emplissaient les pages comme si le maître m'inspirait. Ne disait-il pas que nos pensées survivaient à travers ceux qui les partageaient? L'écriture devenait liberté, grâce, exaltation. L'œuvre naissante, informelle ébauche, me comblait déjà, comme si j'y trouvais mon accomplissement.

En fin d'après-midi, les pleurs du ciel s'arrêtèrent. Il y eut un arc-en-ciel au-dessus des collines. C'était de nouveau le printemps à Ispahan, la « Rose fleurie du Paradis ». Dès lors, les journées s'écoulèrent au rythme de ma plume. Les écrits du sage, mes souvenirs et les témoignages que nous avions recueillis s'ordonnaient en harmonie comme les pièces d'un puzzle. Je restituai le second couronnement en faisant revivre le personnage de Soliman au cœur d'un monde des *Mille et Une Nuits.*

Sans oublier la mascarade de l'heure choisie par Mirza Baker.

Le soir, je retrouvais mes amies. Elles continuaient à m'égayer et ne devaient se douter de rien. Il m'arrivait même de me promener en ville avec l'une ou l'autre, cachée sous les voiles. Chaque fois qu'il m'était possible, j'évoquais mon mémoire sur le commerce et alimentais la rumeur que j'allais bientôt partir visiter les manufactures de soie de Tabriz.

J'étais encore un étranger sans histoire.

Le passeur du monde

En relatant le couronnement de Soliman, je pensais que les événements récents exciteraient davantage la curiosité des lecteurs. Je précisai en sous-titre : « Ce qui s'est passé de plus mémorable dans les deux premières années de son règne. »

Mes travaux se déroulaient bien. Personne n'était informé de ce que j'écrivais, ni le prince de l'Eau, ni mes voisines, ni Hisham à qui j'avais menti en disant que je terminais l'étude pour le roi.

L'arrivée intempestive du commis de mon ami un matin interrompit mon plaisir. Il m'annonça que son maître souhaitait me parler d'urgence dans son atelier. Sentant l'imminence d'un malheur, je sautai sur mon cheval pour me rendre jusqu'à la masure en pisé où il fabriquait ses amulettes. Il me guettait et me fit entrer aussitôt à l'intérieur. Nous prîmes place sur une natte, près de la lucarne qui donnait sur une cour où s'étiolait un figuier. Il faisait si chaud que nous enlevâmes nos turbans.

– Ce que j'ai à te dire pèse sur mon cœur, murmura-t-il en s'efforçant de demeurer impassible. Ce ne sont peut-être que des rumeurs, mais il vaut mieux te protéger.

– Mais que se passe-t-il ? demandai-je en l'implorant du regard.

Il répondit sur un ton encore plus bas :

– D'après Kayan, l'un des astrologues de Mirza Baker qui fréquente mon échoppe pour acheter des amulettes, on jugerait bizarre à la Cour que tu aies abandonné la joaillerie dans laquelle tu excellais pour te consacrer à un mémoire dont tout le monde ignore l'objet. L'astrologue ne s'est pas privé de commentaires puisqu'il a ajouté : « Seuls les espions font des rapports, la plupart du temps destinés aux puissances étrangères. »

J'avais du mal à y croire.

– On me prend pour un espion ? Voyons, ce n'est pas sérieux ! m'écriai-je, étonné qu'il accorde du crédit à des ragots.

– Le grand astrologue aurait convaincu Soliman que l'étude du joaillier français n'était qu'invention, que mensonge, manigance. Et qu'il devait conspirer contre lui.

– Conspirer ! répétai-je, abasourdi.

Des souvenirs me revinrent en mémoire. Lors de notre voyage à Chiraz, Jafer Khan m'avait raconté que Mirza Baker avait fait assassiner Bidjan, le médecin qui l'avait humilié en l'accusant d'avoir choisi une mauvaise heure pour le premier couronnement. Pendant qu'il partageait ses libations avec le roi, il avait instillé ses soupçons en affirmant qu'il était l'amant de l'une de ses favorites. Fou de rage, Soliman n'avait rien vérifié et avait ordonné son meurtre. Ce qu'il avait entendu était devenu Vérité.

D'un revers de la main, j'essuyai la sueur qui perlait à mon front.

Quand on est éloigné des intrigues de la Cour, on imagine mal la violence des passions et des conflits. À l'époque de Shah Abbas, j'étais en sûreté parce qu'il protégeait les infidèles. Je ne l'étais plus sous la gouvernance d'un despote faible qui ne songeait qu'à se divertir et préférait écouter les manigances des eunuques que les conseils de son Premier ministre.

Tout cela coïncidait avec les propos de Shazdeh. Lors de mon premier séjour en Perse, mes visites à Mirza Chéfy devaient être étroitement surveillées. Il apparaissait avec évidence que sa mort était une vengeance orchestrée contre moi.

Nous méditions en silence quand des cris en provenance de la cour nous firent sursauter. Hisham se précipita à la lucarne. Ce n'était rien de grave : seulement un voisin chassant un chien errant.

– Je suis désolé d'être le porteur de mauvaises nouvelles, dit-il en revenant vers moi.

– Que me conseilles-tu ? demandai-je, sans réaliser ce qui m'arrivait.

Il posa sa main sur la mienne.

– Demain, c'est vendredi, le jour sacré de la prière. Personne ne te voudra du mal, mais après…

Si l'on découvrait le dossier Soliman, on me ferait disparaître. Les Persans étaient raffinés jusque dans leurs supplices.

Je ne voulais pas porter tort à Hisham en me faisant surprendre dans son atelier. Je le remerciai de m'avoir présenté à Mirza Chéfy, d'avoir tenu ses promesses. Notre étreinte fut un long et déchirant adieu.

En rentrant chez Shirine, je montai sur la terrasse. Un soleil rouge sombre éclairait encore Ispahan. C'était l'heure où la grande caravane se mettait en route dans un nuage de poussière. Quand l'appel à la prière retentit, je mêlai mes vœux à ceux des mahométans qui s'envolaient dans la poussière dorée du couchant vers Allah, le Dieu aux Quatre-vingt-dix-neuf Noms. Je le priai de me protéger et de me donner la force de poursuivre mon œuvre. Un voile d'ombre descendait sur la ville. C'était le moment où les Persans avaient peur de la nuit. Pour la première fois, moi aussi, j'étais anxieux, perdu dans mes pensées.

Dans le jardin d'à côté, mes amies se mirent à jouer de la musique, m'arrachant des larmes. C'en était fini de la douceur de vivre. Leur gaieté et leur amour allaient me manquer. Elles ne comprendraient pas que je les quitte sans un adieu. Ma disparition allait confirmer les rumeurs : j'étais bien un espion.

Colombiers. La fiente des pigeons sert de fumier au melon.

Il fallut m'y résoudre. La fuite était la seule manière d'échapper à la mort. Mais où me cacher : à Tabriz, la ville aux mosquées bleues, dans les champs de thé du Mazandaran, à Yazd où brûlait la flamme sacrée des adorateurs du feu, à Chiraz, le berceau de la poésie ?

Afin de détourner l'attention, je fis prévenir le prince de l'Eau par mon esclave que je partais visiter les manufactures de soie de Tabriz pour mon mémoire. On me chercherait dans le Nord, alors que je chevaucherais vers le sud. Les carmes de Chiraz m'aideraient à rejoindre le golfe d'Ormuz. De là, si je le pouvais, je m'embarquerais pour l'Europe…

Pendant que Benoît sellait nos chevaux, je cueillis quelques fleurs de jasmin sur la tonnelle. Leur odeur sucrée garderait vivaces mes souvenirs d'Ispahan. Je glissai mes documents dans une vieille sacoche que j'attachai solidement à ma monture. Les étoiles brillaient dans un ciel couleur lapis-lazuli. C'était une belle nuit, une des plus belles nuits que j'aie connues à Ispahan.

Jamais je n'aurais imaginé emprunter la porte dérobée qui donnait sur le fleuve dont le prince disait qu'elle permettait aux amants de la courtisane de s'enfuir. Benoît et moi, nous nous éloignâmes au grand galop. Après une longue chevauchée, nous atteignîmes une montagne où nous fûmes arrêtés par les *rahdars* qui veillaient à la sûreté des voyageurs. Ce fut un moment de profonde inquiétude. À la présentation de mes lettres patentes marquées du sceau de Shah Soliman, ils me laissèrent passer en me saluant avec respect.

Le soir, plutôt que de nous mêler aux marchands du caravansérail de Mayar, je m'étendis sur mon matelas à la belle étoile dans un colombier en ruine, non plus avec mes bijoux comme dans le Caucase, mais avec le précieux portfolio de Mirza Chéfy.

Marco Polo s'était mis à l'épreuve du monde. Les voyages avaient développé sa capacité d'étonnement et la fraîcheur de ses observations.

Aucun obstacle n'avait altéré sa force et son courage. Je mettrai mon honneur et mon énergie à réaliser l'œuvre de Mirza Chéfy, fût-ce au prix de mois d'errance et d'angoisse. Ainsi je rendrais hommage aux muses qui m'avaient inspiré, aux lumières comme à la sagesse du Maître. Il ne pouvait y avoir plus noble destin que celui de transmettre des connaissances, de devenir un passeur du monde. Ainsi je respecterai la tradition des marchands de la route de la Soie.

Et puis un jour, je reviendrai à Ispahan.

Épilogue

Jean Chardin ne retourna jamais à Ispahan. Il publia Le Couronnement de Soliman III, à Paris, chez Claude Barbin, contribuant ainsi à l'histoire de la Perse.

Après avoir passé quelques mois en France, il rejoignit Londres, juste avant la révocation de l'Édit de Nantes. Grâce à sa renommée, il devint le joaillier du roi Charles II, le « Merry Monarch » qui le fit chevalier en 1681. La même année, il se maria avec Esther, la fille d'un membre du parlement de Rouen.

Dans les brumes anglaises, le souvenir de ses amis d'Ispahan ne le quitta jamais. Les nombreux ouvrages qu'il leur consacra connurent le succès et firent date dans l'histoire du pays. Montesquieu s'en inspira pour les *Lettres persanes* et le cita dans *De l'esprit des lois*.

Après sa mort, ses enfants furent reconnaissants à l'Angleterre d'avoir accueilli leur père et bien d'autres coreligionnaires fuyant les persécutions qui, aujourd'hui encore, assombrissent l'éclat du Grand Siècle. Ils offrirent une stèle à la cathédrale de Westminster. Il y est gravé en latin : « *Nomen sibi facit eundo* » (Il s'est fait un nom en voyageant).

Devenu citoyen du monde, le chevalier Chardin fut l'un de ces chrétiens réformés dont l'esprit ouvert et tolérant préfigurait l'idée neuve du progrès des Lumières.

Ce récit est inspiré librement de la vie et des œuvres de Jean Chardin 1643-1712.

REPÈRES BIBLIOGRAPHIQUES

ŒUVRES DE JEAN CHARDIN

Le Voyage de Paris à Ispahan, édité chez Moses Pitt à Londres en 1686.

Voyages du chevalier Chardin en Perse et autres lieux de l'Orient :
I. *Voyage de Paris à Ispahan*
II. *Description de la ville d'Ispahan* et *Les Deux Voyages d'Ispahan à Bander-Abassi*
III. *Description générale de l'Empire perse*
IV. *Description de la religion des Persans* et *Le Couronnement de Shah Soliman III*
Éditions d'Amsterdam aux dépens de la compagnie, 1735, 4 volumes.

Introduction de Stéphane Yerasimos au voyage de Paris à Ispahan,
La Découverte/Maspero.

OUVRAGES GÉNÉRAUX

CHEBEL MALEK, *Encyclopédie de l'amour en Islam,* Payot, 1995.
– *Les Symboles de l'islam,* Éditions Assouline, 1999.
– *Traité du raffinement,* Payot, 1999.
– *Dictionnaire des symboles musulmans,* Albin Michel, 2000.
– *Dictionnaire du Grand Siècle,* sous la dir. de François Bluche, Fayard, 2005.
DROIT ROGER-POL, *Les Héros de la sagesse,* Plon, 2009.
GROSRICHARD ALAIN, *Structure du sérail,* Seuil, 1994.

QUENEAU JACQUELINE, PATTE JEAN-YVES, *L'Art de vivre au temps de Madame de Sévigné*, Nil Éditions, 1996.

RICHARD FRANCIS, *Le Siècle d'Ispahan*, Gallimard, coll. « Découvertes », 2007.

ROCHE DANIEL, *Humeurs vagabondes, De la circulation des hommes et de l'utilité des voyages*, Fayard, 2003.

TAVERNIER JEAN-BAPTISTE, *Voyages en Perse et description de ce royaume*, Éditions du Carrefour, 1930.

Histoire de l'Empire ottoman, sous la dir. de Robert Mantran, Fayard, 1989.

Voyageurs arabes, Ibn Fadlân, Ibn Jubayr, Ibn Battûta et un auteur anonyme, textes traduits, présentés et annotés par Paule Charles-Dominique, Gallimard, Bibliothèque de la Pléiade, 1994.

BIOGRAPHIE DE JEAN CHARDIN

VAN DER CRUYSSE DIRK, *Chardin le Persan*, Fayard, 1998.

MAGIE DES PIERRES PRÉCIEUSES

BASQUIN-SAYAD PIERRE ET ZEITOUNE, *Le Diamant intérieur*, Éditions Recto-Verseau, 1990.

DICINSON JOAN, *The Book of Diamonds*, Dover Publications, 2001.

FLAMAND ÉLIE-CHARLES, *Les Pierres magiques*, Le Courrier du livre, 1990.

TUGNY ANNE DE, *Guide des pierres de rêve*, Flammarion, 1987.

LES PROTESTANTS

BAUBEROT JEAN, *Histoire du protestantisme*, PUF, coll. « Que sais-je ? », 1998.

CALVIN, *Traité des reliques*, dans *Œuvres choisies*, coll. « Folio », 1995.

GARRISSON JANINE, *L'Édit de Nantes et sa révocation*, Seuil, coll. « Points Histoire », 1987.

LABROUSSE ÉLIZABETH, *La Révocation de l'Édit de Nantes*, Payot, 1990.

VOYAGES EN ORIENT ET EN PERSE

BOMATI YVES, HOUCHANG NAHAVANDI, *Shah Abbas empereur de Perse*, Perrin, 1998.

CLOT ANDRÉ, *Les Grands Moghols, splendeur et chute : 1526-1707*, Plon, 1993.

DIEULAFOY JANE, *Une amazone en Orient*, Phébus, 1989.

FERRIER RONALD W., *A Journey to Persia. Jean Chardin's Portrait of a Seventeenth Century Empire*, I. B. Tauris Publisher London-New York, 1996.

GALLAND ANTOINE, *Journal d'Antoine Galland à Constantinople*, 1672.

– *Le Voyage à Smyrne*, Chandeigne, 2000.

GRANVILLE BROWNE, EDWARD, *A Year Amongst the Persians*, Adam and Charles Black, reprinted 1970.

LA BOULLAYE-LE GOUZ, *Les Voyages et observations du sieur de La Boullaye-Le Gouz*, Éditions Kimé, 1994.

LOTI PIERRE, *Vers Ispahan*.

MANTRAN ROBERT, *La Vie quotidienne à Istanbul au siècle de Soliman le Magnifique*, Hachette, 1990.

MELLING ANTOINE IGNACE, *Voyage pittoresque de Constantinople et des rives du Bosphore*, Elibron Classics, 2001.

PINTO FERNAO MENDES, *Pérégrination*, Éditions de La Différence, 1991.

VAN DER CRUYSSE DIRK, *Le noble désir de courir le monde, Voyageurs en Asie au XVIIe siècle*, Fayard, 2002.

ZETLAOUI MONIQUE, *Ainsi vont les enfants de Zarathoustra*, Imago, 2003.

– *Les Six Voyages de Jean-Baptiste Tavernier*.

POÉSIE ET ARTS IRANIENS

GOBINEAU ARTHUR DE, *Nouvelles asiatiques*, dans *Œuvres III*, Gallimard, Bibliothèque de la Pléiade, 1987.

ISHAGHPOUR, YOUSSEF, *La Miniature persane*, Éditions Farrago, 1999.

KEVORKIAN ANNE-MARIE, SICRE JEAN-PIERRE, *Les Jardins du désir, Sept siècles de peinture persane*, Phébus, 1983.

Les Mille et Une Nuits, édition intégrale établie par René R. Khawann, Phébus, coll. « Libretto », 2001, 4 volumes.

Massé Henri, *Anthologie persane*, Payot & Rivages, coll. « Petite Bibliothèque Payot », 1997.

– *Trois ans en Asie : 1855-1858.*

Orient, Mille ans de poésie et de peinture, Diane de Selliers, 2004.

Safa Z., *Anthologie de la poésie persane (xie-xxie siècle)*, Gallimard/Unesco, coll. « Connaissance de l'Orient », 2003.

PENSÉE SOUFIE

Attar, *Le Langage des oiseaux*, Albin Michel, 2000.

Ibn Arabi, *Le Dévoilement des effets du voyage*, Éditions de l'Éclat, 1994.

Gougaud Henri, *Contes des sages soufis*, Seuil, 2004.

Freke Timothy, *The Wisdom of the Sufi Sages*, Godsfield Press, 1998.

Shah Idries, *Contes derviches*, Le Courrier du livre, 1983.

– *Caravane de rêves*, Le Rocher, 1989.

The Conference of the Birds, Selected Sufi Poetry of Farid ud-Din Attar, New Interpretations by Raficq Abdulla, Interlinks Books, 2003.

TABLE

Dépôt légal : octobre 2011
ISBN 978-2-84742-174-3

Achevé d'imprimer sur les presses de l'imprimerie
France Quercy à Mercuès en décembre 2011